K에게

발 행 | 2024년 3월 6일

저 자 | 문영록

펴낸이 | 한건희

펴낸곳 | 주식회사 부크크

출판사등록 | 2014.07.15.(제2014-16호)

주 소 | 서울특별시 금천구 가산디지털1로 119 SK트윈타워 A동 305호

전 화 | 1670-8316

이메일 | info@bookk.co.kr

ISBN | 979-11-410-7511-8

서문

요즘은 날이 부쩍 추워져서인지 시도때도 없이 배가 고픕니다. 나름대로 체중을 유지하기위해 운동이라도 꼬박꼬박 다니지만 글쎄요 내가 찌고 있는지 빠지고 있는지 몸무게를 재어 보아도 긴가민가합니다. 그러던 중에 어느 날 집에 들어와서 책을 읽는데 내 친구들 몇 명이 그랬던 것처럼 나도 책을 써보고 싶다는 생각이 들었고 그래서 책을 쓰기로 했습니다. 솔직히 여행의 내용 자체가 그렇게 재밌지는 않은 것 같기도 하여 과연 누가 내 책을 읽을까 생각도 듭니다. 표지라도 예쁘게 만들어볼까 지금은 그 생각입니다. 아무튼 그저 나는 여행을 다녀왔으니 그동안에 있었던 오직 내게만 특별하고 각별했던 이 일련의 삽화들을 애정을 담아 말할 준비가 되었다 그 뿐입니다.

여행준비

내가 하는 말들이 으레 그렇듯 지금 쓰는 이 글에도 상당한 허풍과 거짓말이 섞여 있다. 하지만 그런 건 아무래도 상관없다. 누구나 그렇듯이 여행을 생각하는 데에 있어 흥미와 기쁨이란 실제 그곳에서 맞닥뜨리게 될 고리타분하고 예측가능한 현실을 생각할 때보다 상상력과 허구가 가득한 동화세계나 마크 트웨인의 소설 같은 신나고 기묘한 여행을 상상할 때 더욱 흘러 넘치게 되는 법이다.

여행에 앞서 준비 같은 것은 하지 않았다. 왜 그랬던가. 예전에 에리히 아우어바흐의 저서 미메시스에서 '바른 길'에 대한 설명을 읽은 적이 있었다. 중세 문학에서 기사의 여정에는 분명 '바른 길'이라는 개념이 존재한다고 하였다. 그래서 바른 길로 가기만 하면 내가 무엇을 하건 누구건 세상이 내게 맞게 열려 있을 것이라고 했다. 그래, 나는 그 말을 믿고 의지한다. 그럼 바른 길로 가는 방향은 어떻게 정했던가. 그건 키에르케고르의 '신앙'을 통해 알게 되었다. 개인이 끊임없는 주변환경에 반해 자신의 의지만으로 윤리적인 삶을 산다는 것은 불가능하니 그 역설을 인정하고 개인이 스스로 믿는 신념을 끝까지 따르는 것, 그것이 신앙이라고 그는 말했다. 따라서 내 개인이 온 마음을 다해 믿는 신념을 따라 길을 걸었을 때 세상이 무엇이 되었든 열려주겠지 하고 굳게 믿게 되었다. 그래서 여행준비는 비행기 표와 옷가지 몇 개, 마지막으로 내가 사랑해 마지않는 아일랜드를 위해 예이츠 시집 하나를 챙겨갔을 뿐이다.

인생을 어느정도 살아본 이들의 여행과 젊은 이들의 여행은 그 목적과 내용이 같지 않을 것이라고 생각했었다. 과거를 추억하고 지난날의 나 자신과 화해하는 것은 내가 지금 할 일은 아니라고 믿었다. 지금 당장 해야 할 일은 저 시간들이 나를 서서히 시들게 만들기 전에 내가 가진 한번의 젊음을 찬란히 휘발하는 성질에 걸맞도록 날려버리는 것이다. 그래서 내가 '원하고 싶은 모습'이 언제나 될 수 있도록 옷 차림새를 준비하고 내뱉을 말과 사유할 생각을 준비하자. 이것이 내가 여행을 준비하는 동안 스스로 되뇌었던 정언에 가까운 명령이었다.

9월 5일.

오늘 저녁에 예정되어 있던 출국편이 새벽 5시에 취소 통보됐다.

9월의 밤엔 이렇게 얼굴마저 화끈거리는 열대야가 순식간에 찾아 오는가. 나는 다섯 시간 가량이 지나 겨우겨우 대체편이 마련되는 동안 아비규환으로 아무것도 하지 못하고 발만 동동 굴렀다. 그동안의 기고만장함은 깨진 창문과 같이 바닥에 유리 파편으로 나뒹굴었고 나는 동동 구르는 발로 그것을 밟으며 연신 비명을 지르는 꼴이었다. 심지어는 술자리에서 조롱하던 하느님께 두 손을 가지런히 모으고 기도까지 올렸다. 운이 좋았었는지 나는 아무것도 한 게 없는데도 대체편은 알아서 내일 아침으로 밀렸고 항공규정상 보상금이 지급되기로 정해졌다. 그리고는 원하는 바를 얻은 후 나는 다시 하느님을 조롱했다. 아마 신이 전지전능하다면 내가 그러리라는 것을 알고서 내 소원을 들어주었을 것이다. 그러나 여하간 이를 통해 내 작은 바램을 실행할 근거가 얼마나 취약하였는지를, 작은 바람 하나에 모든 계획이 날아갔었던 오늘의 모든 과정을 내내 두려움과 내 자신에 대한 냉소로 가득 찬 마음으로 생각해보았다.

1. 프랑스

9월 6일.

예전에 베트남으로 혼자 여행을 떠났었다. 그리고 첫 날부터 택시기사에게 돈을 도둑 맞았었다. 다행히 택시기사는 지갑에 그렇게 돈이 많았는데도 고작 10만원만 훔쳐가는 소심한 사람이었다. 그러나 유럽의 민족제국주의 코쟁이들은 분명 상당한 야심가이자 대범한 인물들임에 틀림없으므로 돈이 없어 싸구려 배낭을 메고 가면서도 이번에는 아래 위로 자물쇠를 두르고 왔다. 마치 그 모양새란 양들의 침묵에서 한니발렉터 박사에게 채운 구속복을 연상시켰다. 나중에 욕심으로 가득 찬 여행 짐을 꾸리고 나니 배낭의 원형은 사라지고 아래로 축 쳐진 하나의 타원이 남았으니, 지하철 스크린 표면에 비친 내 모습은 사람이 아닌 두발로 선 달팽이였다.

출국 비행기 내에선 무기력함과 피곤함이 교대로 나를 방문했다. 하지만 비행기의 안전한 비행을 위해 잠을 잘 수 없었다. 웬만큼 배운 사람이라면 다 아는 사실이지만 비행기라는 것은 애초에 떠야 할 이유가 없는 물체로 다만 그 원리라는 것도 비스듬히 지구 표면을 따라 활강했다가 비스듬히 추락하는 것이니 애초에 비행이라는 것은 다만 추락의 과정이다. 그러므로 추락하지 않는 까닭은 안전불감증에 걸린 이 몰이해스러운 인간 군상들 속에서 나 같은 희생적 인물이 탑승시간 내내 모두를 걱정하며, 동시에 안심시키면서 그 불안으로 인한 고통을 감내하고 있기 때문일지도 모른다. 즉, 불안해하는 어느 누군가의 기척이 저 멀리 떨어진 조종석의 기장과 부기장 그리고 승무원들을 다소나마 긴장시킴으로써 안전한 운행에 만전을 기하도록 기여하는 것이다. 그러나 그렇게 걱정에 걱정을 거듭하던 중 수메르 서사시에서 불멸을 원했던 길가메시가 이레 낮과 밤 동안 굳은 결의에도 결국 잠에 굴복하듯 나 또한 어느 순간 잠들어 버렸고 어느 순간 비행기는 도착을 알리고 있었다. 누군가 내 걱정의 몫을 대신해 주었기 때문일 것이다. 다행히 비행기는 무사히 도착했지만 나는 너무 피곤했다. 이 배은망덕한 탑승객들은 자신들이 무사 도착하는 과정에서 젊은 동양인 하나의 숭고한 희생이 있었음을 꿈에도 모를 것이다. 파리에서는 파리 냄새가 났다. 어느 장소에서든 장소에서는 그 장소의 냄새가 난다. 따라서 파리에서는 파리 냄새가 난다고 말하는 것이다. 다만, 그 냄새가 향수 섞인 오줌 지린내와 흡사하여 입으로 숨을 쉬는 것이 위생상 좋지 않을 것이라는 느낌에 코로 숨을 내쉬도록 각별히 주의하였다. 아무튼 내려서는 소매치기가 걱정돼 편집증에 걸린 듯 가방을 꽉 부여잡고 숙소에 도착했다. 극도로 긴장한 나머지 내가 발로 걸어갔는지 데굴데굴 굴러갔는지가 기억이 당최 나지 않는데 이에 관해서는 여전히 세간에 알려진 바가 없다. 아마 파리 치안 및 도심교통정보 CCTV를 통해서 이를 확인해볼 밖에 도리가 없을 것이다. 숙소에 도착한 이후에는 기다렸다는 듯이 이불과 침대가 나를 납치하여 둘둘 감았다. 잠에 빠져들었다는 뜻이다.

9월 7일

간밤에 버스시간을 놓치고 분해서 내 머리를 마구 두들기는 꿈을 꾸다가 잠에서 깼다, 아직 새벽 4시라서 한 시간은 더 자도 투어 미팅까지는 시간이 남는다. 하지만 머리를 두들기는 느낌에 잠에서 깼으니 다시 잠이 왔을리가 없다. 그냥 누워서 한동안 내가 실제로도 머리를 두들겼을지 아니면 꿈속에서 버둥대는 선에서 그쳤을지를 골똘히 생각했다. 머리에 얼얼한 느낌이 있는 것 같기도 하고 아무리 생각해봐도 알 수가 없다. 그러고는 창 밖을 보니 파리는 도시인데도 밤하늘에 별이 참 많다. 공기가 좋아서 그런 것도 같고 내가 정말 잠결에 머리를 너무 두들긴 까닭에 그런 것도 같다. 눈을 감은 동안에 일어난 일은 절대 알 수 없는 법이다. 한 시간 일찍 트로카데로 광장에 도착한 나는 에펠탑을 보러 갔다. 에펠탑을 처음

본 순간부터 그 거대함을 우러러보았다.

오늘은 몽생미셸을 보는 날이었더랬다. 대천사 미카엘이 한 신부님의 꿈에 나와서 성을 지으라고 계시를 내렸고 그 이후 200년에 걸쳐 가시적 형태로 건축된 한 사람의 꿈은 오늘날 바다위에 고요히 떠있다. 그 광경은 다시 생각해보아도 두근거린다. 여기 언급된 또 다른 사나이의 개꿈과는 궤를 달리하는 거룩함이다. 해가 지는 시간까지 성과 수도원을 둘러보며 바보처럼 고개를 끄덕거렸다. 석양을 보았고 맨발로 밀물을 빠져나오는 사람들을 만났다. 이윽고 밤이 내려앉았고 바다 위에는 큰 성 하나가 반짝거렸다. 그것을 잊지 않겠다는 듯 나는 눈을 가늘게 뜨고 한동안 우두커니 서있다가 기차시간에 맞춰 돌아왔다. 숙소에 도착하니 모두들 자고 있었다. 나는 한참을 깨어 있었다.

9월 8일.

날이 무척 덥다. 자리에 멍청하게 앉아있기는 싫

어서 일어나 걸었고 걸으니까 더워서 더위를 피하고 싶어서 더욱 걸었다. 스트라스부르에는 커다란 성당이 있다. 성당을 올려다보려 고개를 들었는데 아, 뜨거워라. 햇볕이 너무 눈부셨다. 불과 조금 전에 아이스크림을 먹었었는데 얼마 지나지 않아 또 덥다. 카페에 앉으려니 돈이 아깝다. 실은 그러했다. 여행지까지 와서 바깥이 하나도 안보이는 그늘 진 실내에 앉아 벽만 쳐다보고 있을 리 없었고, 그렇다고 그늘도 없는 야외테이블에 앉아 그대로 곱게 그을려 줄 리도 없었고, 무엇보다 아이스 메뉴가 없는데 팔팔 끓는 커피 조금 마시자고 소중한 여행비를 사용할 리 없었다. 그래서 걷은 것이었다. 하지만 걸으면서 사실은 후회했다. 그냥 아까 아무데나 앉을 걸. 그러나 이미 매 순간 순간이라는 스스로가 지나감과 동시에 이제 와서 앉으면 안된다는 미친 고집에다 이유를 덧붙이는 중이었다. 결국 나는 해가 옆으로 누울때까지 걸어다니고 말았다. 하지만 마을은 정말 예뻤다. 성당 첨탑에 올라가 시내를 한눈에 보기도 하고 걸어다니면서 사진도 많이 찍고 공연도 보고 끊임없이 이곳에 대한 아름다움을 새로고침

하였으니 이만하면 된 것이다.

관광지의 유럽인들은 로봇이 아닌지 의심스러울 정도로 더위를 잘 참았는데, 아무리 해가 방향을 달리하며 내리쬐어도 테이블에 앉아 그 펄펄 끓는 음료를 마시는 것으로 더위를 피할 수 있었다. 로봇이 아니라면 신사적 선진문화, 여유로운 삶과 사고방식의 표본인, 유로피언의 정체성과 자부심을 지키기 위해서 이를 악물고 버티는 것이거나 혹은 관조의 삶을 최고의 것으로 여기던 그리스 식의 사고를 기준삼아 코쟁이들간의 자격을 상호 간에 과시하고 평가, 감시할 도구로 사용하는 중이던지. 무튼 나 같은 관광객이 돌아다니는 동안에는 광기서린 인내를 보이기로 자기들끼리 묵시적 합의를 이룬 것은 틀림없었다. 그러나 글쎄다, 지금에 와선 결과적으로 땡볕에 가만히 앉아있는 사람이나 덥다고 끊임없이 땡볕을 옮겨다니는 사람이나 서로 미쳤다고 할 일이었다.

9월 9일.

게스트하우스에서 같이 지내는 사람과 같이 베르사유에 갔다. 덥기도 했고 막 그렇게 재미있지는 않았다. 막상 같이 가자고 할 때는 실컷 끄덕여놓고 와서 보니 혼자 다니는 게 좋았다. 그래서 일부러 마구 혼자 도망치듯이 동선을 꼬아서 따로 다녔다. 나는 거울에 방에 모습을 현현하였다가 이내 사라진 후 반대편 비너스의 방에 나타나는 식이었으니 사실상 혼자 다닌 셈이었다. 예전 프랑스 미술사 교수님이 프랑스식 정원과 프랑스 혁명 당시의 베르사유에 대해 설명해주었던 기억이 새록새록 떠올랐다. 뷔히너 전집에도 점거당한 베르사유가 나온다. 고로 나는 과거의 기억에 사로잡혀 본 적도 없는, 그럼에도 익숙한 모습들을 찾아다녔다. 아마 그 와중에 내 부적절한 동선에 기인한 아둔함은 궁전에 발자국으로 가득 찍혀 있었을 것이다. 다녀와서는 팡테온에 갔는데 그제서야 오늘 하루에 의미를 찾은 듯 경외심마저 느껴졌다. 팡테온에 묻힌 사람들을 통해서 이 나라가 추구하는 영혼과 정신이 어떠한 것인가를 어렴풋이 느낄 수 있었다. 볼테르, 루소, 에밀 졸라 등 확실히 고개가 절로 끄덕여지는 거인들이었다.

시간이 어느정도 지난 지금에 되돌아보아도 파리에서 가장 감동을 주었던 것은 역시 판테온이었다. 저녁에는 석양을 보러 물랑루즈 옆 길을 통하여 몽마르뜨 언덕으로 향하며 예술가들의 거리와 예전 에릭 사티가 살던 집을 찾아가 보았는데 거리 면면이 참으로 아름다웠다. 하늘 역시 어느 곳에서든 아름다웠다. 내려오는 길에는 예쁜 사람에게 내 사진을 찍어달라고 부탁했다. 내가 그랬다고 해서 비난할 사람은 없을 것이다. 하루가 더위와 함께 녹아 내린 기분이었다. 오늘도 나는 금방 잠이 들었다.

9월 10일

루브르 박물관 전체에서 사인을 찍어달라고 부탁했던 작품은 단 둘 뿐이었다.

> 1. 프란치스코 고야 - 카르피오 백작부인의 초상화 '라 솔라나 후작 부인'

오디오 가이드에 설명이 따로 없어 다들 지나치는 이 작품은 라 솔라나 후작부인이 병들어 죽기 전 혼자 남을 외동딸이 엄마의 모습을 간직할 수 있도록 하기 위해 딸의 앞으로 후작 부인본인이 직접 의뢰한 초상화다. 이 시기의 고야는 아직 시대의 비극에 휩쓸려 인간에 대한 혐오를 보이기 이전이었지만, 청력을 대부분 소실하여 신경쇠약에 걸린 상태였으며 실제로 라 솔라나 후작 부인은 그림이 완성되고 몇 개월 후에 사망하였다. 이 그림을 보고 있자면 나는 '작별'이라는 단어가 주는 슬픔으로 목이 잠겼다. 죽어가는 어머니와 귀가 멀어버린 신경쇠약의 화가 사이에서 그려진 이 그림에서 보여지는 어떤 특별한 종류의 고요함은 계속 내 마음에 걸려 쉽게 떠나지 못하고 서성거리도록 만들었다.

2. 렘브란트 - 이젤 앞에 앉은 화가의 초상화

내가 렘브란트를 알게 된 계기는 영화 '퐁뇌프의 연인들'과 소설 '우리 시대의 화가'였다. 존 버거는 렘브란트를 설명하면서 카라바조의 예시를 들었다. 그는 카라바조의 명암이 강조를 위해 비추는 강렬한 스포트라이트였다면, 렘브란트의 명암은 고립을 위해 켜놓은 작은 조명이라고 말했다. 그리고 캔버스 위의 인간의 고립과 고독을 처음으로 그려낸 화가 중 하나로서 렘브란트를 최초의 현대화가라고 칭하였다. 렘브란트는 자화상을 그리면서도 자신을 이젤 앞에 앉은 그저 하나의 화가라고 이름 붙였다. 어스름한 갈색의 조명아래 앉아있는 이 남자는 고독하였으며 예술가였다. 영화 퐁뇌프의 연인들에서 렘브란트는 눈이 멀어가는 쥘리에트 비노슈(미셸)의 마지막 소망으로 등장한다. 그때도 외로움과 고독이 주는 최후의 안식이 렘브란트의 작은 조명아래에 놓여있었다.

루브르를 나와서는 몽파르나스 공동묘지에 갔다. 내일이면 파리를 떠나니까 그동안 모아왔던 지하철과 기차표를 내가 존경하는 사람들에게 주고 싶어서였다. 가장 먼저 사르트르에게 몇 장을 잡히는 대로 주었고, 모파상에게도 몇 장, 사무엘 베케트에게도 약간, 보들레르에게도 마지막 남은 한 장을 줬다. 사르트르가 했던 말이 기억난다. 아주 실망스럽기 짝이 없는 인간을 신이 여태 멸망시키지 않은 이유가 매 세기마다 나타나는 신이 놀랄 만큼의 어떤 천재가, 가령 레오나르도 다빈치 같은, 나타나 신으로 하여금 기회를 더 주도록 멸망시계를 뒤로 늦추기 때문이며 이번 세기에는 그게 자기 자신이라고 했던 뻔뻔한 남자. 하지만 그와 동시에 그런 오만함에 정당함을 부여할 만큼의 지성을 갖췄던 사람. 빌린 생각으로 하루를 보내는 사람에게 사상을 빚진다는 것이야 말로 가장 큰 빚을 지는 것이라고 생각하며 내가 할 수 있는 최대한의 존경을 표하고 왔다.

2. 산티아고 순례길

9월 11일

아침부터 일어나 부지런히 짐을 싸고 순례를 시작하러 St jean pied de port(생장 피에드 포트)에 도착했다. 순례자 여권인 크레덴셜을 받고 예약해 두었던 첫 순례자 숙소(알베르게)에 짐을 풀었다. 조금 긴장이 됐다. 내 여행일정 중 가장 오랜 기간을 차지할 산티아고 순례였으나, 사실 아일랜드에 가는 것에 너무 들떠 스페인이나 순례길에 대해서는 크게 준비하거나 알아본 것이 없었다. 호스트는 머리가 벗겨진 마른 체형의 백인 남성이었는데 눈이 조금 부리부리해서 시선을 마주치기가 겁이 났다. 그의 말을 듣자 하니 순례길의 막바지 부분에는 철의 십자가라는 지점이 있다고 하는데, 순례자들은 그곳에서 각자가 고국에서 하나씩 가져온 돌을 내려놓으며 이와 동시에 자신이 순례를 통해 내려놓고자 했던 마음의 짐을 내려놓는 전통이 있다고 했다. 나는 미처 그런 것을 준비하지 못했다고 하자 숙소의 호스트는 대신 들고가라며 적당한 크기의 돌을 건네주었다. 이제는 내가 내려놓을 인생의 짐을 찾아서 내려놓을 수 있을만한 그런 사람이 되어야 할 차례였다. 즉, 순례를 앞두고서야 내가 눈 앞에 둔 여행이 사실은 인생을 두고 다녀와야 할 그런 여행이라는 사실을 안 셈이다. 이윽고 창 밖을 보니 문득 순례자들이 많아 보였다. 다들 무엇 때문에 왔을까. 나는 어느 새 잠이 들었다. 밤새 비가 내렸던 것 같다.

9월 12일

아침에 길을 나서면서, 오늘이 순례기간 중에서는 체력적으로 가장 힘든 날이 될 거라고 누군가 말했던 것이 기억난다. 우연한 것들은 늘 누가 알려줬는지도 모른 채 어렴풋이 떠밀려가듯 잠시 시야에 들어왔다가 이내 사라지곤 했다. 힘들지는 않았다. 피레네를 올라가서 파리와 스페인의 국경을 넘는 동안 많은 것을 보았다. 나무는 능선의 강풍을 따라 비스듬히 누운 채로 길게 자랐으며 그 주위로는 연녹색의 풀들이 자리해 있었고, 곳곳에는 돌들이 작은 깃발과 함께 바람에 나부끼는 답을 이뤘다. 등산로에서는 반쯤 뜯어 먹혀 때묻은 회색과 붉은색이 칠해진 죽은 양과 그것을 스쳐가는 사람들, 그 광경을 몇 발자국 떨어진 거리에서 지켜보는 독수리들을 보았다. 그러다 어느덧 바람과 함께 안개가 밀려왔다가 햇볕과 함께 사라지고는 파란 하늘에서 비가 내렸고, 곧이어 다시 안개만 자욱했다. 자욱한 안개 속에서는 종소리만 명료하였으나 종소리는 늘 가까워짐과 동시에 멀어지는 듯했고 어느 새 사라졌다가 염소나 송아지의 형상으로 바뀌어 나타나곤 했다. 산

등성이에는 히스(heath)가 피어있었다. 늘 유럽의 산등성이에는 히스가 만개해있다. 나는 이 꽃의 이름을 예전에 알았다. 폭풍의 언덕(Wuthering heights)에는 히스클리프(Heathcliff)가 나오니까 늘 알고 있었다. 이니스프리에는 내가 갈 때까지 히스가 피어있을까. 이날 나는 K를 만났다. 나는 이날 이후로도 K를 종종 만났는데 K는 첫 날에 만난 내가 아끼는 외국 친구들을 내가 익명으로 부르는 말이되겠다.

9월 13일.

론세스바예스의 새벽 숲은 마녀의 숲이라고 불렸다. 그곳이 마녀의 숲인 줄 미리 알았다면 조금 더 천천히 걸었을텐데. 왜냐하면 마녀의 숲은 무섭지 않으니까. 하지만 아무런 이름도 없는 어두운 숲이 차라리 나는 무서웠다. 그래서 숲을 서둘러 빠져나왔던 것이다. 결국 숲의 출구에는 마침내 '마녀의 숲'이라는 팻말이 하나 걸려있었으니 그제서야 나는 조금이라도 더 자세히 볼 걸 하고는 아쉬움을 느꼈다. 오늘은 아침 해가 안개를 모두 걷어내었고 하루 종일 물 흐르는 소리가 들렸다. 해는 비스듬히 누우며 나무를 길게 잡아당겼고 길게 늘어진 그림자가 서서히 어둠에 녹아내릴 무렵 겨우 마을에 도착했다. 조금 늦었다. 걸음이 느린 것은 아니었는데. 같이 다니는 영국인 친구 하나가 버섯을 찾아 산을 헤집고 다녀서 그랬다. 저녁엔 포틀럭을 했다. 대단한 것은 없었고 나도 처음 해보는 거라 빵 하나와 올리브 통조림을 챙겨갔다. 나는 올리브를 좋아한다. 올리브는 올리브 맛이 난다. 나는 올리브 맛을 좋아한다. 올리브는 올리브 색을 띤다. 나는 올리브 색을 좋아한다. 자꾸 올리브 운운하는 것은 대화가 사실 지겨웠기 때문이다. 나는 올리브랑 포크를 가지고 놀았다. 올리브는 죽었다. 포크에 찔려 잡아 먹혔기 때문이다. 그들은 순례길에 무엇이 있고 거리가 얼마나 되고 갈래길이 어디에 있는지를 얘기하다가 이내 과거에 순례길을 왔을 때와 지금에 어떤 것들이 바뀌었는지를 말하기 시작했다. 졸려서 눈물이 날 지경이었으나 나는 그 눈물을 마치 감동에 의한 것인 양 고개를 3/4박자 지휘를 하듯 휘저으며 글썽였고 맞장구 또한 신나게 쳐줬더랬다.

나는 항상 예의가 바르기로 했으니까.

9월 14일.

팜플로나. 순례길에서 들르게 되는 첫번째 도시. 가는 길은 유쾌하고 발걸음은 가벼웠다. 수풀을 헤치고 나무에 핀 꽃을 구경하며 표지판을 따라갔다. 강물에 돌을 던지면서 다리를 건넜고 도로에 그려진 그래피티와 옆에 적힌 사람들의 철없는 낙서를 보고 때론 혀를 찼고 거위에게 나뭇가지로 장난을 치다 손가락을 물렸다. 팜플로나에 도착해서는 사람들이 너무 많아 길을 잃었다. 인형 탈을 쓴 사람이 동양인이 신기한 지 나에게 장난을 쳤다. 저녁에 다시 K를 만나 정어리와 올리브로 만든 꼬치, 그리고 샹그리아를 먹었다. 정어리가 비려서 토할 뻔했지만 오른쪽 엄지와 눈썹을 치켜들고는 맛있다고 추켜세웠다. 그랬더니 하나 더 먹으라기에 필사의 연기력으로 배가 부름을 표현했다. 실제로 비린내로 배가 불러서 못 먹을 지경이었다. 이때 샹그리아를 누가 사줬는데 돈을 갚는 것을 잊어버렸다. 아마도 K 있을 것이지만 스페인은 술이 물보다 싸니 큰 문제는 되지 않을 것이라 믿으며 재밌게 놀았다. 우리 모두는 농담을 간식삼아 부스러뜨려선 마구 집어먹는 모양새로 실컷 떠들었고 아직 시차에 완전히 적응하지 못한 나는 먼저 잠이 와서 자러 갔다.

9월 15일.

아침에 일어난다. K에게 다들 잘 잤느냐고 물어보니 K는 '아닌 것 같아' 하고 고개를 가로저었다. 물어보니 내가 자러 간 이후에 무슨 얘기들을 했는지 어젯밤엔 다들 울었다고 한다. 그리고 한 명은 배탈이 났다고 한다. 필시 그 정어리 때문이렸다. 따라서 오늘은 각자 따로 걸어가기로 한다. 비가 계속 오다 그치기를 반복한다. 다른 사람들을 만나 아침을 같이 먹었다. 작은 산 하나를 넘는다. 산 위에는 커피를 파는 버스 하나가 있고 표지판이 사방으로 나 있다. 산 위에서 내려다본 사람들은 정말이지 작았다. 나는 얼마간의 동지애를 느끼며 그들을 바라보다 바람이 불어오는 것을 불현듯 느끼고 갑자기 거세지는 비를 피해 잠시 버스에 올라타 밀크셰이크를 주문한다. 주인에게 버스를 타고 내려가자고 우스갯소리를 하며 비가 그치기를 기다리지만 비는 그칠 기미가 안보였다. 그치지 않을 비라면 맞고서라도 내려가겠다고 생각하며 버스에 마련된 방명록을 멋지게 써주고 필기체로 내 이름을 남겼다. 해가 산을 넘었으니 이제는 가야했다. 순례길의 특징 중 하나는 길목마다 십자가를 쉽게 마주칠 수 있다는 것이다. 나는 사진을 찍으며 인사도 무시도 아닌 어중간한 몸짓으로 경례를 표한 후 십자가를 다시 지나쳤다. 그건 그럴만한 사정이 있었다. 아무튼간에 종교적인 이유로 만들어진 순례길을 가는 사람이 십자가를 보고 그냥 지나친다는 것은 도무지 온당치 못한 일처럼 여겨졌으나 그렇다고 종교를 믿지 않는 사람이 필요 이상으로 절을 올리거나 하는 모습도 이치에 맞지 않아 보였던 것이다. 그래서 목례도 아니고 목석처럼 선 것도 아닌 비비적 거리는 듯한 묘한 몸놀림을 보이고 휙 지나가버리곤 했던 것이었다. 나를 불쌍히 여겨달라.

9월 16일.

어느 노인이 거동이 불편한 자기 아내를 뒤에 싣고 자전거로 언덕을 오르는 것을 조용히 보았다. 나는 숨을 크게 내쉬었다. 찬 공기를 주의 깊게 들이마시면 내 코와 폐를 느낄 수 있다. 세월은 그 사람을 늙게 만들고 그의 반려자를 거동조차 못하도록 만들었음에도 그는 사랑하는 사람을 뒤에 태우고 페달을 밟았다. 사랑의 형태라는 것은 항상 사랑 그 자체로 직접 묘사되는 법이 없다. 체호프의 소설이나 다른 영화처럼 사랑은 오로지 그것을 겪는 이들을 통해서만 간접적으로 묘사된다. 사람들의 은근한 행동, 얼굴색이나 표정의 감출 수 없는 미세한 변화, 긴장된 목소리의 떨림, 멎는 숨소리, 마주치면서도 차마 맺히지 못하는 어떤 수줍은 시선들, 마침내 언덕길을 올라가는 자전거의 페달로.

9월 17일.

안개가 내려앉은 새벽 숲을 지나게 되면 사람은 항상 눅눅한 무언가를 마음에 머금기 마련이다. 오늘은 처음으로 순례자 미사에 참여했다. 은회색 파사드를 통해 성당으로 들어가면서 나는 무엇을 바라기에 오래전 저버린 나의 신앙에게 다시금 기도하는지를 스스로 되물었다. 아마도 모르겠다. 모를 것이다. 나는 모르는 채로 기도하였다. 무언가 있지 않을까 하고.

9월 18일.

로그로뇨는 순례길에서 만나는 두번째 대도시이다. 와인축제가 한창인 이곳에서 나는 도착하자마자 술을 퍼마시고는 숙취로 다음 날 출발하지 못하여 이틀을 연달아 보내게 되었다. 사람들은 나에게 팩에 든 와인을 통째로 입에다 부어주었고 나는 옳다구나 하고 받아마셨다. 북을 치는 사람들이 골목을 행진했고 골목에선 젖은 풀을 태우는 냄새가 났다. 나는 연신 미소를 지으며 박수를 쳤다. 사람들도 만났지만 대화는 많지 않았다. 대화를 소모품삼아 사람과 친해지는 것은 나의 고독한 취향에 맞지 않았던 것 같다. 이윽고 도시 어디선가 폭죽이 터졌고 나는 자연스럽게 건물 사이로 보였다 사라지는 섬광들을 따라갔다. 징검다리 위에서 열댓명의 사람들이 불꽃놀이를 하는 중이었다. 만취상태로 새벽에 불빛을 바라보며 시간을 보낸다는 것은 여행객에게는 어쩌면 위험한 일이었던 것 같다. 하지만 아무 일도 일어나지 않았다. 나는 죽지않을 정도로만 위험하게 가자는 내 의무를 모자람이 없게 수행했고 하늘이 라벤더색으로 물드는 것을 통해 동이 트는 것을 느끼며 나의 침대로 몸을 날렸다.

9월 19일.

배탈로 인해 뒤쳐진 K를 다시 만났다. 재회라는 것은 늘상 그렇다. 인생에서와 마찬가지로 나아감에 있어서는 각자의 보폭이 다르므로 반드시 한 쪽이 멈추거나 다른 한 쪽이 서둘러야 비로소 재회라는 것이 발생할 수 있는 것이니, 내가 보기엔 재회란 반드시 인위적이다. 인위적이기에 더욱 소중한 것이고. K는 산에서 자라는 버섯에 관심이 많았다. 버섯만 보이면 뛰어갔다가 하나를 뽑아와서는 식용여부 및 버섯에 대한 간략한 설명을 덧붙이곤 했다. 그러던 그가 오늘은 식용 버섯이라며 가방에 버섯을 넣어왔다. 나는 죽을지도 모른다는 생각에 약간은 겁이 났지만 K를 믿기로 했다. 그러면서 사람은 버섯 따위에 죽지 않을지도 모른다고 생각했다. 그리고 저녁으로 그가 만든 버섯요리를 먹으면서 마찬가지로 생각했다. 오늘이 마지막이 될 것이라고. 내일 아침이 되면 나는 조금 빠르게 떠날 것이며 또한 더 이상은 그들과의 재회를 위해 기다리는 일이 없을 것이라고. 나는 와인축제의 막바지에 이르러 숙취가 겹힘과 동시에 순례를 재개하기 위해 사유를 위한 고독을 요구하였던 것이다.

9월 20일.

길게 뻗어 있는 포도밭을 보았고, 높이 솟은 적벽들과 반조를 연주하는 음악가, 집 없는 개들을 보았다. 이따금씩 이정표를 보기위해 길을 멈추었고 발에 채일 만한 큰 돌을 보면 집어서 길 밖으로 옮겨 놓았다. 빠르게 더 멀리 가기 위해 잠을 줄였고 오늘은 아무 말도 하지 않았다.

오늘 따라 만두가 먹고 싶었다. 내게 음식이란 푸앵카레 정리에서 만물의 모양을 나누듯 만두와 만두가 아닌 것 만두와 유사한 것으로 나뉜다. 만두란 무엇인가, 그것은 소를 얼마만큼의 면적을 지닌 탄수화물로 완전히 둘러 싼 음식이다. 대표적인 예시로 찐빵과 만두, 부리또, 단팥빵, 라비올리 등이 해당한다. 그렇다면 만두가 아닌 것은 무엇인가, 그것은 탄수화물이 소를 전혀 둘러싸지 않았거나 탄수화물의 면적은 있으되 둘러 쌀 소가 없는 음식이다. 그러한 것들에는 대부분의 음식들, 파스타나 찌개류, 국밥 등이 이에 속한다. 마지막으로 만두와 유사한 것은 무엇인가, 그것은 얼마만큼의 면적을 지닌 탄수화물이 소를 둘러싸되 완벽히 둘러싸지는 못한 음식을 말하거나 둘러싼 것이 탄수화물이 아닐 경우가 해당한다. 가령 피자나 햄버거, 타코, 김밥, 토스트와 같은 음식들은 유사만두로 분류된다. 이쯤하면 알겠지만 나는 만두를 정말 좋아하는 편이다. 주로 내 마음대로 편하게 한 끼를 먹을 수 있다면 만두 종류나 만두와 유사한 음식들을 먹고는 한다. 까닭은 간단하다. 너무나 쉽고 편하게 쥐고 먹을 수 있기 때문이다. 뒤처리도 간단하고 이렇게 세상 편리한 음식이 없다. 산티아고 순례길에 오른 지 어느 덧 열흘정도가 지났는데 고국의 음식은 전혀 생각나지 않았거늘 만두만이 눈 앞에 아른거렸다. 내게 유일한 향수란 만두에 관한 것임이 이리도 명쾌하게 드러나는 순간이었다. K에게 만두에 관한 내 이론을 말한 적이 있었는데 그는 턱을 괴고 유심히 듣더니 자기는 온 세상 음식을 더욱 쉽고 명쾌하게 분류할 줄 안다는 것이었다. 그가 말하기로는 음식이란 모름지기 물에 넣었다 뺀 음식과 물 속에 넣은 채로 먹는 음식 마지막으로 물에 넣지 않는 음식으로 나뉜다는 것이다. 나는 취향에 따라 동일한 음식임에도 물에 넣어 먹거나 물 속에서 건져내어 먹거나 아예 물에 넣지 않는 음식이 있을 수 있음을 설파하며 나의 분류가 더 정밀한 분류임을 말하였으나 K는 내 말대로라면 피자를 말아서 먹거나 햄버거를 분해하여 다 따로따로 먹을 수 있는 것이 아니겠느냐며 괴변을 늘어놓았었다. 참으로 괴씸한지고, 그 고리타분한 독일인은 미식의 세계를 이해하지 못할 터였다.

9월 21일.

장대비가 쏟아졌다. 아침에 급하게 떠나면서 우비를 두고왔으니 그래서 비를 다 맞았다. 해바라기 밭에는 큰 나무가 없었다. 들판의 중간에서 한창 비에 젖다가 갑자기 웃음이 터져 나왔다. 이해했다. 상자 안에 갇혀 살았던 나는 늘 모험을 하고 싶었다. 모험을 한다는 것의 의미 중 하나는 내리는 비를 굳이 피할 필요가 없다는 뜻이었다. 우산을 쓰고 있으면 비 오는 하늘을 올려다볼 수가 없었다. 나는 어쩌면 살아서 처음으로 비 오는 하늘을 녹비로 올려다보았는지도 모른다. 그것은 드높은 곳을 향한 응시였으며 내가 그렇게 비를 이겨내고 있다는 사실은 의외로 나로 하여금 더욱 비를 내려보라는 도발과도 같은 심리를 불러 일으켰다. 그러나 소나기는 금방 그치기 마련으로 어느덧 하늘이 개이기 시작했다. 나는 내리는 비를 한 차례도 피하지 않았던 것이다. 모험은 성공적이었다. 나는 당당히 내게 주어진 보상으로서 하늘이 회백색에서 애저색으로 바뀌는 모습을 면면히 살펴보았다. 그건 개인적으로 길이 기억될 광경이었다.

9월 22일.

어느 정도 길을 걷고 나서 나는 속력을 늦출 수 있었다. 내 친구 K들이 순례의 마지막까지 나를 만날 수 없을 만큼 이제 내가 멀고도 빠르게 걸어왔기 때문이었다. 나는 내가 가진 기억의 송진으로 그들을 굳혀 말려 일그러지지 않은 추억 그대로 그리워할 수 있을 것이라 생각했다가 이내 내가 틀렸음을 시인했다. 떠나는 순간에 우리의 두 눈에 담겼던 모든 것은 우리의 마음이 원하고 정하는 바에 따라 즉각 변형되어, 주물되기 마련이며 사람이란 기억이 보여주는 그런 거짓말을 평생을 보고 살면서도 그에 대해 제대로 된 의표 하나 찌르지 못하는 것이다. 잠시 배낭을 내려놓은 채 해바라기 밭을 구경하였다. 맑은 바람에 해바라기들은 사각사각거리는 소리를 내며 가지를 흔들었고, 나는 그 중 하나에 다가가 손톱으로 씨를 뜯으며 웃는 얼굴을 새겨 놓고는 다시 길을 떠났다.

9월 23일.

니코마코스 윤리학에서 아리스토텔레스는 인간의 궁극적 목표가 행복이라고 말했다. 하지만 사람의 행복은 저마다 다르므로 아리스토텔레스는 행복한 사람이란 유덕한 활동을 평생동안 지속하는 사람이라고 정의했다. 즉, 인간이 추구할 수 있는 것 중에 가장 좋은 것은 혼의 좋음이며 미덕에 걸맞는 혼의 활동을 평생 지속해야 행복이 찾아온다는 것이다. 하지만 나는 왠지 그럴 자신이 없다. 우리는 각자의 삶에 있어 온전한 주인이었던가. 사람이 특정 시기와 특정 사건을 만나 하게 되는 생각들과 여태까지의 그를 만든, 중요했던 선택지들은 과연 개인의 온전한 선택들의 결과였던가. 이미 의지를 갖기 이전부터 각자가 겪어왔던 순간들과 그동안 마주쳐왔던 사람 및 사건들이 그의 가장 중요한 사상의 배경과 소회를 만들고 생각의 가지를 구성하며, 미래의 또 다른 선택의 순간에 서는 날에는 그들 모두 각자 다른 무언가를 가슴 속에 추구하기 마련이면서 그런 세상에 지금 눈 앞의 것들이 온전한 자기 의지로 만들어진 것이라 말할 수 있는 사람이 과연 있던가. 그런 사람은 없다. 인간을 가장 행복하게 만들어 주는 것은 자신이 자유롭다는 믿음과 우연한 행운이라고 나는 믿는다. 따라서 나는 내가 만들지 않았고 내 의지대로 생겨 먹지 못한 세상에서 내 신념에 따라 자유롭게 선택할 수 있고 가끔씩 우연히 다가오는 행운에 미소 지을 수 있기만을 바랄 뿐이다. 따라서 나는 행복하다. 나는 신을 믿지 않았지만 이따금씩 우연히 내 앞에 하늘에서 떨어진 듯한, 절대 내게 주이졌다고는 믿을 수 없을 만큼 아름다운 것들을 통해 내가 얼마나 운이 좋았던가 하고 생각하는 날에는 차마 알지 못할 세상의 신비로움 앞에 그만 목이 메이곤 했다.

9월 24일.

아침에 길을 나서며 마을 슈퍼에 보카딜로를 하나 만들어 달라고 했는데 웬걸 사장님이 갓난아기보다 큰 보카딜로를 만들어 주셨다. 고로 오늘은 그 빵을 다 먹느라 다른 것은 손도 대지 못했다. 먹던 중에 먹는 것이 지겨워졌던 나는 하늘을 원형으로 맴도는 매들에게 빵을 나눠주려고 수직으로 빵조각을 던지기도 했고 따라오는 개에게도 조금 나눠줬고 심지어 일부는 땅에 묻기도 하였다. 그럼에도 빵은 절반이나 남았었다. 날은 무척이나 더웠고 열기에 눅눅해진 빵도 무척이나 더워보였다. 잠깐 카페에 들러 맥주 한잔을 시켜놓고는 빵을 들여다보다가 그 빵을 어떻게든 구해줘야 할 것 같다는 생각에 맥주로 목을 축이며 남은 빵 전부를 먹어치워버렸다. 그러고는 나에게 권태를 안겨준 빵에게 경의를 표했다. 음식을 늘고 다니는 것이 그렇게 거추장스럽고 힘들 수가 없었으니 오늘 하루는 빵 이외에는 생각나는 것이 없었다. 그러나 하루가 저물어갈 때 즈음 빵이 무슨 맛이었는지 생각해보았는데 도통 기억이 나질 않았으니, 보카딜로의 요정이 농간을 부린 것 같았다. 결국 당분간은 보카딜로는 손도 대지 않으리라 마음먹었더랬다.

9월 25일.

순례길의 중간지점인 매세타 고원을 걷는 동안 순례자들은 해를 하루 종일 왼편에다 두고 걷는다. 따라서 왼쪽편의 피부는 타고 오른쪽은 비교적 멀쩡하다. 나 역시 그랬기에 거울을 보니 참 괴이한 몰골이었다. 모두가 그랬다. 괴이하다는 점에서는. 그러나 피부가 타더라도 검게 타는 사람은 동양인들만 그랬던 것 같다. 백인들은 손바닥으로 맞은 것처럼 붉게 변할 뿐이었다. 이를 두고 어느 날 내가 검게 타지 않아 부럽다고 K에게 말을 건넸더니 K가 말하기를 백인들은 햇볕을 받으면 암에 걸린다고 했다. 그것 참 신기할 일이었다. 한동안 그을리고 나서 오늘의 숙소에 도착해서 짐을 풀고는 나가서 책을 읽었는데 오늘 하루동안 몇 차례 마주쳐서 눈에 익었던 몇 명과 다시 인사를 나누고 식사를 같이 하기로 했다. 순례자들은 일반적으로 나이가 많은 편이다. 나이가 지긋하신 분들 중에는 순례길이 처음이 아닌 분들이 많은데 오늘은 5번째 순례길을 걷는 사람을 만났다. 그렇게 많이 순례길을 걷는 사람은 종종 순례길을 하나의 도전과제처럼 여기는 분들도 계시고, 초행길의 순례자를 은근히 내려다보는 사람도 있다. 그것을 나쁘다 말하지는 않겠다. 누군가가 가질 수 있는 마음이라면 언젠가 나 역시 가지게 될 수 있다는 생각을 하면서 그저 그냥 이해할 뿐이다. 다만 오늘 만난 분들은 그렇지 않았다. 그중 한 할아버지는 5년마다 한 번씩 이곳을 찾는다고 하셨다. 스물 여섯에 죽은 자기 아들을 위해 순례길을 온다고 하셨다. 매번 비슷한 크기의 돌 하나를 들고 이곳을 찾아와 돌을 내려놓으며 그럼에도 내려놓을 수 없을 사랑하는 아들의 기억을 되새기며 조용히 그를 위해 하늘에 기도를 한다고 하셨다. 제임스 조이스의 죽은 사람들이라는 단편집이 생각났다. 우리는 죽은 사람들 사이에서 살아간다. 누군가는 이미 죽고 사라졌음에도 살아있는 사람을 평생 그 자리에 묶어 놓고야 만다. 다음날 아침에 일어났을 때 그 할아버지는 부지런히 길을 떠난 뒤였고 나는 그 할아버지를 다신 보지 못했다.

9월 26일

요즘 계절이 바뀌면서 지평선을 메운 동틀 무렵의 하늘이 솜사탕색으로 아름답게 변하는 것을 자주 봤다. 나는 최근 들어 그 광경을 매일 같이 보고 있으면서도 매일마다 감탄하곤 했다. 유럽은 구름의 형상마저도 특별한 듯 보였고 그런 하늘을 바라보고 있자면 시간 가는 줄을 몰랐다. 마음이 들떠서 오늘은 길에서 토끼풀을 꺾어 예이츠 시집에 꽂아 두었다.

9월 27일.

풀은 어떤 색을 띄고 있는가. 내가 이곳에서 새롭게 알게 된 것은 세상은 조명과 조명되는 사물로 가득하다는 것이다. 그 중에서 풀은 그 새삼스러운 사실을 가장 극명하게 드러내는 사물 중 하나이다. 같은 초록색이라 하여도 그 색상의 조성은 극명하게 다르고 그 다양한 조성이란 시간에 따라 변화하는 하나의 조명 아래에서 완전한 균형과 조화를 이루며 놓여있는 것이다.

오늘은 도나티보, 기부로 운영되는 알베르게에서

잠을 청했다. 짐을 풀고는 어련히 알아서 맥주를 하나 사서 길바닥에 퍼질러 앉아 지는 해를 구경하였다. 해가 보라빛으로 이글거리며 내 맥주잔과 호수로 내려앉는 동안 나는 저미는 듯한 마음으로 해를 바라보았다.

9월 28일.

너무 푹 자고 일어났더니 어떤 말들을 적기로 하였는지 도통 기억나질 않는다. 조금 늦게 출발을 하여서 그런지 시선이 머무는 곳에는 사람하나 보이지 않고 때 이른 배고픔에 조용히 일어나 절뚝이며 걸었다. 내 배낭은 값이 싼 제품답게 무게가 오른쪽으로 치우쳐서 요즘 오른쪽 엉덩이가 운동한 것 마냥 아프다. 그러나 비단 그것이 나의 사례만은 아닌 것이 대부분의 순례자들은 이쯤하면 엉기적거리며 걷기 마련이다. 발바닥은 매맞은 듯 아려 오고 종아리가 불에 덴 듯 뜨거우니제 아무리 천근역사라도 이만한 고생 앞에서는 하는 수 없을 것이다. 그러나 막심 고리키는 말했으니 삶이란, 항상 뭔가 더 나은 것에 대한 갈망

이 인간의 마음속에서 사라지지 않을 만큼은 고된 것이다. 따라서 나는 기뻤다.

9월 29일.

오늘은 레온이라는 도시를 지나쳤다. 대도시를 지나치는 날이면 다른 날보다 훨씬 피로하기 마련인데 그 까닭은 성당이나 성벽 같은 유적지며 유럽식 건물의 창문마다 달린 발코니 등등 경탄할 만한 것이 워낙에 많아 평소처럼 마을을 지날 때와는 달리 온 도시를 휘젓고 다녀야만 직성이 풀리기 때문이었다. 게다가 바닥에 깔린 돌들은 또 어떤가. 신발을 통해 돌과 돌 사이의 틈새와 그 질감이 발끝으로 전해지는데 그 감각마저도 문화 예술의 한 위업이라 칭할 만했다. 그 외에도 정성 들여 가꿔진 네모반듯한 가로수와 곳곳에 가로등이 놓인 회백색의 넓은 광장이 이루는 조화와 새 소리, 벽돌색의 지붕과 그 아래로 드리운 사선의 차양까지 눈에 보이는 모든 것이 홀리듯 나를 그 자리에 붙박도록 만들었다. 그래서 한참을 두리번거리다가 문득 시간을 보고 화들짝 놀라 식사 빵 하나 손에 들고 서둘러야 길을 떠나야만 했다.

길을 걷다 보면 시간은 다르게 흘렀다. 새로운 기후와 지형에 한 열망과 호기심으로 걸음이 빨라지는 구간이 있던가 하면 오늘처럼 도시를 벗어난 이후로 아무것도 없는 도로 옆 흙길을 의지로 이겨내느라 도저히 속도가 붙지 않는 구간이 있었다. 그런 구간을 지나칠 때에는 하늘마저 구름 한 점 없이 가혹하여 나는 욕지기를 내뱉고 싶은 마음을 참곤 했다. 정오의 햇볕이 들판을 곯마른 누런색으로 물들이다 어느 새 기울어가며 산호색으로 바뀌어 갈 때 즈음 겨우겨우 오늘 묵기로 한 알베르게에 도착하였는데 오늘 같은 날은 맥주를 마실 기운도 나지 않아 조용히 책을 읽다 잠이 들고 말았다.

9월 30일.

어느 덧 9월의 막바지에 이르렀다. 너무나 당연한 말이겠지만, 여행에는 효용을 들먹일 수 없다는 생각이 들었다. 내가 조금 더 어렸을 적엔 학교에서 과제로 독후감이나 일기장을 쓸 때 느낀점을 같이 써서 제출하도록 했는데 물론 지금 그게 잘 못되었다는 말을 하려는 것은 아니다. 생의 어느 시기를 막론하고 자기가 느끼는 바가 뚜렷하며, 동시에 이를 글로 명확히 써내려 갈 줄 아는 사람은 많지는 않더라도 분명히 있고, 아무튼 뻔하고 서툰 거짓말을 늘어놓더라도 느낀 점은 써보기라도 하여야 표현해 낼 수 있는 영역이 늘어난다는 것이 삶에서 거짓말을 전공한 것이나 다름없는 내 생각이다. 다만 우리가 책을 읽고, 영화를 보고, 음악을 듣고, 그림을 감상하고, 여행을 할때에 느끼는 바가 곧바로 나타나시만은 않는다는 말을 하고 싶었다.

누군가가 '무엇을 느꼈니?' '어떤 교훈을 얻었니?' 하고 물어보면 마치 대질심문을 받는 듯 묵비권을 행사하거나 '예?' 하고 못들은 체하며 그마저도 아니라면 채 갈무리되지 않은 성급한 생각을 내놓고는 뒤돌아서 아쉬워하는 것이 우리의 대부분의 일상이다. 허나, '느낀점'이란 어느 순간에는 사람에게 문득 나타나고 만다. 여행의 효용을 당장에 들먹여 본들 얻어낼 수 있는 것은 많지 않으며 또한 그 행위 자체에 효용을 얻어내겠다는 불순한 목적이 있어서도 아니된다고 생각한다. 그저 즐겁고자 떠나는 것일 뿐. 그러나 종적에는, 다시 말하지만, 여행의 소회와 효용은 어느 순간에 불현듯 나타나고야 만다. 그것이 표현될 수 있는 단어가 그 사람에게 준비되는 순간, 그것을 이해할 수 있는 감정과 기억이 그 사람에게 나중에라도 경험된 순간이 오면 반드시 누구나 그 느낀점을 토해내듯 말할 수 있을 것임을 의심치 않는다.

장 그르니에는 선집에서 여행에는 반드시 목적이 있어야 한다고 했다. 내게 있어 그 목적은 당장에 실현가능한 것은 결코 아니지만, 내가 준비되었을 어느 가깝거나 먼 미래에 느낀점이라는 것이 내게 나타날 수 있도록 그 재료(느낀점임과 동시에 그를 매개할 수도 있는)를 미리 담아두기 위함이라 말하고 싶다. 그럼 그때까지는 여행과 여행에서 오는 새로움 그 자체를 즐기는 것만큼 중요한 것은 없는 셈이니 나는 오늘도 이곳을 거닐다가 잠이 들겠다.

10월 1일.

까미노를 시작하던 첫 날 호스트 아저씨가 언급했던 크루즈 데 페로, 일명 철의 십자가라는 지점에 도달했다. 각자가 순례를 시작하며 고향에서 각자가 들고 온 마음의 짐을 돌과 함께 내려놓는 이 곳에서 나 역시 내 돌을 가뿐히 내려놓고 떠나왔다. 하지만 내려놓을 마음의 짐을 끝내 생각해 내지는 못하였다. 글쎄 그래도 나 역시 돌을 하나 가져왔으니 우선 하나를 놔두도록 하고 미래에 내가 짊어질 짐을 미리 하나 내려놓고 간 것으로 하여도 될 것이라 믿었다. 잠시 그늘에서 쉬며 오가는 사람들을 바라보는데 다들 지친 기색이 역력하면서도 묵묵히 걸어와 돌을 하나 내려놓고서는 갑자기 눈물을 보이고야 마는 것이었다. 나는 그동안에 눈물을 흘리는 사람들을 많이 보았더랬다. 눈물이란 크게 소리가 나는 눈물과 소리 없이 흐르는 눈물로 나뉘며, 소리 없이 흐르는 눈물은 또 다시 눈을 감고 흘리는 눈물과 눈을 뜬 채로 흐르는 눈물로 나뉜다. 여기서 눈을 뜨고 흘리는 눈물은 주저앉아 흘리는 눈물과 선 채로 흘리는 눈물로 나뉘는데 오늘의 눈물은 주로 후자에 해당했다. 나는 무수한 울음들을 결투의 입회인이라도 되는 듯이 엄숙한 자세로 지켜보며 조금은 마음이 서글퍼지는 것을 느꼈더랬다. 진실로 순례라는 것은 많은 사람들이 생애의 여명에 잠깐 주어지는 마지막 기력으로 선택하는 것이며 간혹 순례의 어느 지점에서 기력을 다 하여 죽음을 맞이하는 사람들도 더러 있으니 올해도 이미 사연이 담긴 비석 몇 개가 세워졌을 것이었다. 산티아고 순례길이 다른 여행과 다른 성격을 띄는 이유와 여정 중에 최소한의 엄숙함과 침묵을 유지해야 하는 이유는 따라서 그러했다.

그러나 같이 침울해 할 것은 아니었다. 우리 모두는 각자의 여정이 있으며, 언젠가 때가 되면 이곳으로 나 역시 다시 돌아올 것이었다. 돌아와서는 그들과 같이 소리 없이 눈을 뜨고 서있는 채로 눈물을 흘리게 될 것이었다. 여전히 나는 젊은 사람과 나이 든 사람의 여행은 그 목적이 같을 수 없다고 생각했다. 만약 젊음의 중간에서 반성과 명상으로 세월을 되새긴다면 그 젊음은 조로하고 말 것이니 그것은 젊음에 대한 남용이었다. 따라서 그래선 안되었다. 적어도 이 십자가 앞에서 나는 내가 해야하는 일이란 후일에 두고 되새길 이야기를 만드는 일이라 다시 다짐했다. 나이 듦에 자랑스럽도록 젊음을 보낼 수 있게끔.

세월이 쉽게 가는 것을 너무 아쉬워할 것은 없다. 사르트르는 이렇게 말했다. "인간들이여, 가볍게 스쳐가라. 힘껏 딛지 말아라."

10월 2일.

안녕 테아이테토스! 😊

10월 3일.

밤에 잠을 자는데 누가 악에 받혀서 소리를 지르는 것처럼 코를 골았다. 정말 화가 나서 때리고 싶었다. 하지만 그럴 수는 없잖은가. 그래서 조용히 참았다. 참다 보니 나의 풍부한 상상력 덕분인지 무려 코골이 주제에 그 소리가 5도권을 순환하며 서서히 하행하는 것처럼 느껴지는 것이었다. 그때는 더는 참을 수 없겠다 생각이 들어서 휴대

폰 라이트를 키고 그 사람이 헨델이 아닌지 비추어 확인하였다. 그러나 아쉽게도 그 사람은 헨델이 아니었다. 결국 크게 낙심한 나는 어느 알 수 없는 새벽의 중턱에서 지쳐 잠들고 말았다. 아침에 일어났더니 사람들은 모두 떠나고 난 뒤였다. 그는 정말 헨델이 아니었을까?

10월 4일.

오늘 엄지 쪽 발볼이 걷는 내내 따끔거려 물집이 크게 잡힌 줄 알고 하루 종일 걱정을 했다. 하지만 걷기 시작한 이상 길바닥에 퍼질러 앉아 양말을 벗고 물집을 확인한들 조치할 방법이 없어 한동안 걷다가 결국 하루가 다 끝나갈 때 즈음 약국에 들러 물집용 플라스터를 하나 구매했다. 숙소에 도착해 확인해보니 웬걸, 달팽이보다 작은 물집이었다. 수치심에 몸을 떨고 나서 보는 이가 없는지 주변을 찬찬히 확인하고는 고개를 끄덕였다. 나의 사소함이란 무한소의 개념을 빌려야만 설명할 수 있다는 것을 이제 막 깨달은 참이었다.

10월 5일.

전원은 소리만 들어도 아는 법이다. 물 흐르는 소리와 잠에서 깬 새들의 지저귐, 송아지 목에 걸린 방울소리. 이제 산티아고가 머지 않았다는 것을 느끼며 조금이라도 오래 머물고자 사방에 귀를 기울였다. 그러나 걷지 않을 수는 없으니 도착까지는 한 5일이 남은 셈이었고 슬슬 아일랜드 행 비행기를 예매해야 했다. 알베르게 밖에서 한동안 지는 해를 구경하다 그날 저녁 포르투갈과 몇 지역을 다녀올 것을 고려하여 아일랜드행 비행편을 2주 정도 후로 예매하고 이제는 몇 번이나 돌려 읽었는지 모를 예이츠의 시선을 다시 돌려 읽었다. '*Come away, O human child!*

10월 6일.

해가 내리쬐지 못하여 정오에도 안개가 걷히지 않았으니, 오늘은 안개가 유독 심하게 끼는 날이었다. 갈 곳 없는 안개는 능선사이 골짜기에 가라

앉아 한참동안 회색바다를 이루었고 그 속을 지나다니는 사람들을 배게로 짓누르듯 꼼짝할 생각을 안했다. 나는 잠시 후 그 안개바다 사이를 지나가게 되었고 역시나 늘 그랬듯 입으로 숨을 쉬지 않도록 주의하며 안개 속에서 내 옷이 서서히 습기로 눅눅해 지는 것을 느꼈다. 그 속에서 한참을 걷고서야 정오를 넘기면서 해가 뜸과 동시에 안개가 걷히기 시작했는데 그러면서 강 건너에 있던 마을 포르토마린이 보이기 시작했다. 안개가 플래어처럼 하늘을 휘감으면서 날아가는 그 모습이 서서히 드러나는 외딴마을의 정취와 엇갈리며 마치 연극의 징막이 걷히듯 아름다운 모습을 연출했다.

10월 7일.

순례가 막바지에 다다라서인지 항상 졸리고 기운이 없다. 일기가 짧아지는 것도 그런 연유에서이다. 늘 자다가도 한번은 깨고야 만다. 아마 순례의 끝을 감각함과 동시에 그것을 아쉬워하여 더 이상 나아가지 않고자 하는 마음에서 비롯된 피로

감과 불안감이 나를 깊이 잠들지 못하게 하고 또한 졸리게 만드는 것이 분명했다. 만약 순례가 끝난다면 아일랜드로 떠나기 전에 무엇을 제일로 하고픈지 오늘 누워서 생각해보았다. 하지만 도무지 생각나질 않았다. 이름모를 날파리 하나를 쫓아가다가 졸았던 것이 전부였다. 무엇을 하고 싶다는 욕구란 내게 가끔 섬광처럼 번뜩이곤 사라지는 그저 황망한 도깨비에 불과한 경우가 대부분이라는 것을 이제 자각할 만큼 내 자신을 안다. 좌우지간 지금보다 더 행복할 수 있던가. 원하는 만큼 걷다가 지칠 수 있고 머릿속에 떠오르는 것들을 자유롭게 생각하고 상상하며 내 마음 속 이외에는 아무것도 신경 쓸 필요가 없는 지금의 상황이 나는 마냥 좋았다. 무엇보다도 이런 하루하루의 활동이 순례라는 이름으로 다뤄지며 존중받을 수 있지 않았던가. 나는 다만 걷기가 좋았다.

10월 8일.

이제 하루면 산티아고에 도착할 만큼 왔다. 마지막 알베르게가 될 오늘 숙소에 체크인을 할 적에 호스트가 내 크레덴샬을 보더니 내일 모레가 생일이라고 상기시켜주었다. 그렇지만 생일에 맞춰서 완주일을 인위적으로 조절할 생각은 추호도 없었으며 오히려 그에 대해서는 어떤 반감마저 들 정도였다. 그래서 반드시 생일보다 하루 빠른 내일에는 도착해버리자고 마음을 먹던 차였다. 그런데 누가 그 말을 듣고는 생일에 도착하라며 하루를 더 체류할 동선을 짜주겠다고 운을 떼고는 장광설을 늘어놓기 시작했다. 듣기 싫은 말을 들으려니 좀이 쑤셔서 견디기가 힘들었지만 큰 내색은 하지 않았다. 카라마조프가의 형제들을 재미있게 읽은 저이 있던 나는 '현명한 사람과의 대화는 흥미롭다'라는 문장을 가장 생생히 기억한다. 소설 상에서 이 말은 지옥의 도화선이 되는 문장이었는데, 이 단순한 문장이 그러한 결과를 불러왔던 이유는 '현명한' 사람이란 말과 행동에 무의식적인, 때로는 의식적인 함의를 담아 말하거나 그렇게 말할 것으로 기대되어 지기 때문이며, 그런 사람이 그것을 읽어낼 수 있는 또 다른 '현명한' 사람과 대화를 한 결과로 생각치도 못한 최악의 사건이 벌어졌기 때문이었다.

나는 으레 사람이란 입을 열면 열수록 허장성세가 심해지는 생물이니 미덕을 갖춘 사람일수록 자신이 입을 여는 순간, 그와 동시에 내 자신이 읽혀지고 판단될 수 있음을 알아야 하고 따라서 대부분의 경우 가만히 지켜보는 것이 좋은 결과를 불러온다고 생각하는 편이다. 특별한 무언가로 여행을 장식하는 것이 반드시 좋은 것만은 아니다. 진심어린 마음으로 순례를 하는 사람이라면 오히려 그 마음만이 빛을 발하도록 그 외의 특수함을 지우는 방향으로 여행을 하거나 혹은 아무 것에도 연연하지 않은 채 우연에 맡기지 않았을까 하는 생각이 들었다.

10월 9일.

사람의 일생을 선에서 선으로 무한히 잇는 형태로 길게 늘어뜨려 표현할 수 있게 된다면, 인간이 이것이 인생이자 삶이었다고 부르며 되짚게 될 부분은 선들을 잇기 위해 사이사이 묶어 놓는 몇 안되는 매듭일 것이다. 여기서 매듭이란 각기 다른 선과 선의 끄트머리를 연결하는 것으로 결코 어느 선 하나의 중간지점에서 홀로 묶이는 법이 없다. 하루가 끝날 때 비로소 일기가 쓰여지듯, 진실된 회고란 생애의 황혼에서 이뤄지는 것이고 따라서 일련의 과정이 끝나고 다음이 시작될 때에야 매듭이라는 것이 지어지는 법이다. 나는 영화를 좋아하는 편이다. 빅 피쉬, 벤자민 버튼의 시간은 거꾸로 간다, 박하사탕 등 타인의 일생을 그린 영화는 항상 인생의 몇몇 점들만을 모아서 보여줌에도 우리는 그 생애를 보았노라고 느낀다. 그것은 우리 모두가 기나긴 실처럼 앞을 향해 뻗어가면서도 삶을 되돌아보았을 때 남는 것이란 몇 개의 점들뿐이라는 시실을 가슴 깊이 이해하고 있기 때문이다. 장기 여행이라는 것도 비슷하다. 우리는 모든 순간을 영상처럼 담아가려 노력하나, 결국 담아가게 되는 것은 폴라로이드의 섬광과도 같은 몇 번의 깜빡임뿐이다. 산티아고에 도착하여 오늘 나의 하루는 저물어 가지만 나는 이번 여행이 내 생애에서 구별될만한 매듭이 되어줄 지 여전히 알 수 없었다. 그러므로 다만 매 순간을 중요하게 만들어 보고자 생애라는 기다란 선에다가 생채기라도 내어보려 손톱자국을 깊게

내는 것이다.

10월 10일.

어제를 마지막으로 한달가량의 순례는 끝났다. 비록 내가 너무 앞서 걸어간 까닭에 인사를 나누고 싶었던 모든 K들과 재회할 수는 없었지만 그럼에도 여전히 몇 몇의 K들과 조용히 인사를 나눌 수 있었다. 그리고는 순례증서를 받고 다음에 할만한 일들을 조율해보다가 결국 가만히 멈춰서게 되었다. 어느 하나 나에게 끝이라는 생각이 들게 하지 못하였다. 길을 걷던 중 가끔 K와 얘기를 할 적에 여정이 가장 중요한 것이니 순례증서 같은 결과 따위는 전혀 중요치 않다는 식의 말을 몇 번 들었었다. 그러나 그것은 현명함이 아니라 교만함이다. 인간은 위대하지만 결코 대단하진 못하므로 현명한 사람일수록 과정에서 더 많은 것을 얻어가려 하지만 의존할 결과를 필요로 하는 것 또한 한낱 사람의 마음인 것을. 너무나 연약하게도 그런 것이다.

우리가 이렇듯 과정과 결과, 이성과 감각처럼 상반된 개념을 대하는데 있어 의도적인 취사를 한다면 그야말로 독선이고 오만함이 아닐까. 데모크리토스가 말했듯 패배한 것이다. 가장 바른 사람은 어떤 여지조차 닫아 놓는 법이 없으며 그는 그럴 방법 또한 알지 못한 채 유순하게 흘러가는 법이다. 결국 나는 어찌해야 할 바를 몰라 성당으로 들어갔고 뜻 밖에도 저녁미사에서 나는 내가 왜 이곳까지 걸어왔는가에 대한 나름의 해답을 얻어 조용히 고개를 숙이며 이 긴 여정의 결말을 받아들였다. 그것은 축복이라고 나는 믿었다. 미사라는 것은 인류 역사상 가장 오래되고도 거대한 비유이자 재현이다. 미사의 내용이란 에피파니를 통한 신성의 강림을 재현하고 그를 통해 그 자리에 모인 모든 이들에게 신의 축복을 내리는 것으로 나는 여태껏 순례길을 걸어오면서도 어떤 해답을 찾아야 하는지 무엇을 질문해야 하는지도 알지 못했다. 그러나 인류역사상 가장 숭고하고도 신비로운 방식으로 이제 막 나에게 축복이 내려진 것이나 다름없었으므로 따라서 나는 그것만으로 충분했다. 데카르트를 보고 사람들은 그가 아르키메데스의 점을 인간의 내면으로 옮겨 놓았다고들 말한다. 인간의 마음 그 자체가 우주의 축이자 유일하게 고정된 좌표이며, 신이 기거하는 공간이라는 것이다. 나는 그것을 마침내 이해하는 듯한 신비한 기분을 느꼈고 그곳에서 평온을 경험했다고 믿어 의심치 않았다.

그러고는 K를 두 명 만났다. K는 내 생일이라며 맥주를 사주었다. 한 명은 영국 국적이었고 청소년들을 선도하는 센터에서 일을 하는 40대 초반의 턱수염이 자란 남자였고 다른 한 명은 아제르바이잔 국적이지만 고교시절 뛰어난 성적으로 터키에 유학을 간 나음 현재는 헤드헌팅을 받아 독일의 기업에 취직하여 베를린에 거주하는 중이었다. 우리 셋은 서로를 잘 알았다. 순례길에서 만나는 사람들에게 나는 내 얘기를 숨김없이 모두 말해버리는 중이었고 상대방들도 그러했으니 어떤 면에서 우리는 평생을 알아왔던 사람들보다도 서로를 빠짐없이 이해하는 편이었다. 우리가 어떤 얘기를 나누었는지는 이곳에 쓰지 않겠다. 다만, 여전히 이 날이 임을 생각하면 마음이 서글프다. 얼마나 순례자들이 서로를 한없이 이해하려는 호의와 친절을 베푸는지를 여전히 기억하기에 그것이 주는 그리움과 소회는 마치 바다에 바위를 가라앉히듯 끝도 없이 소리도 없이 마음을 누르는 것이다. 그것이 맞다. 따라서 나는 끝도 없이 우울하고도 울적하였다.

10월 11일.

하루 동안 투어를 끊고 스페인 바닷가의 묵시아와 피스테라 마을에 다녀왔다. K는 어느 날 내게 순례가 끝나면 무엇을 할 것인지 물어본 적이 있었는데 내가 곧장 아일랜드로 갈 것이지만 아직 비행편도 예매하지 않았고 뭘 할지는 생각해보지 않았다고 말하자 위의 두 마을에 가보라고 권해주었다. 그 두마을은 주로 순례객들이 가는 장소로 일명 순례의 끝이자 세상의 끝이라는 이름으로 불린다고 들었다. 당시에는 굳이 갈 필요는 없다고 느껴졌으나 정작 그 말을 해줬던 K는 아직도 순례를 완주하기까지 일주일이나 남았고 게다가 내게도 아직 아일랜드 행 비행편은 시간이 꽤 남은 터라 나는 K의 조언을 따르기로 했다. 묵시아와 피스테라는 지금 돌이켜보면 그렇게 유별난 기억은 남지 않았던 것 같다. 다만 그 중 한 곳에서 아랫부분에 사람 하나 들어갈 만한 통로가 난 바위가 있었는데 가이드의 말로는 그 바위 아래를 아홉번 들어갔다가 나오면 현재 갖고 있는 병이 낫는다는 소문이 있다고 했다. 물론 말도 안되지만 가이드가 그런 말을 마치고 나자 여행이 주는 도전적이면서도 활기찬 분위기에 힘입어 할아버지와 할머니들이 줄줄이 소시지로 그 바위아래를 들어갔다가 나오기를 반복하기 시작했다. 그 모습은 흡사 영화사에 길이남을 괴작 '인간지네'를 떠올렸으며 나는 그 모습에 깊은 감명을 받아 그 장면을 담은 셀카를 찍어 내 추억속에 길이 남기고자 시도했다. 이윽고 병이 낫고 자시고는 큰 흥미가 없었음에도 여행지에서 그런 색다른 시도를 해본다는 것은 나름 일리가 있는 것이라는 생각이 든 나는 저 행위에 참여해야 하는 것인지 고민에 조금 빠졌던 것 같다. 그러나 차마 할아버지 엉덩이 뒤로 머리를 들이밀고 바위 아래로 들어간다는 것은 나의 이고가 허락하지 않았기에 그 모습을 감상하는 선에서 그쳤다. 지금에 와서 돌이켜보면 그 분들은 분명히 갖고 있는 병이 나았으리라 본다. 생에 대한 열정이 있는 사람은 항상 건강한 법이니 바위가 병을 낫게 하지 않았더라도 생에 대한 즐거움과 의지가 그분들을 건강하게 유지하지 않았겠는가.

3. 포르투갈

10월 12일.

연락을 취해보니 K는 5일 후에 산티아고에 도착한다고 했다. 따라서 남는 시간동안 나는 이웃나라 포르투갈의 도시 포르투에 다녀오기로 결정하고 버스를 탔다. 순례를 다녀오면 거리에 대한 마음가짐이 조금 달라지기 마련으로 5km정도 거리를 걸으라고 하면 대략 걸어서 한 시간정도 거리이니 굳이 차를 빌려 탈 필요가 없다고 생각하게 된다. 그때는 나 역시 그랬어서 버스 정류장에서 포르투 시내에 있는 내 게스트하우스까지 한시간

거리를 여행 배낭을 메고 그대로 걸어갔었다. 몇몇 사람들도 역시 나와 나란히 걸어가고 있었으므로 나는 그 사람들만 조용히 따라가면 되는 일이었는데 무슨 변덕이었는지 길을 트는 바람에 포르투에서 잠시 길을 잃어 한 30분은 더 걷게 되었다. 포르투는 꽤 예쁜 도시였다. 연청색의 도우루 강을 사이에 끼고 해안도시의 풍경이 벽돌색 지붕을 따라 줄줄이 놓여있었는데 가로등이며 강변에 놓인 테이블들이 멋들어지게 어울려 비싼 가격만 아니었어도 당장 가장 좋은 좌석에 앉아 아페리티프부터 디제스티보까지 만찬을 주문하고 싶을 지경이었다. 운이 좋아서 내가 머물던 게스트하우스는 도우루강 바로 옆에 있었기에 항상 강이 보고 싶을 때에는 게스트하우스 문만 나서면 되어 몹시 간편했다. 비록 내가 돈이 없는 것은 아니었지만 대충 여행의 어느 시점에서 지출의 정도를 가늠할 수 없게 되어 긴축재정을 유지하는 중이었던 것이다. 강변에 앉아 석양을 구경할 때면 근처 편의점에서 커다란 와인을 하나 사와서 혼자 조금씩 마시며 여행분위기를 만끽했다. 나는 또 다시 책을 읽었다. 책을 읽는 사이 어느 새 도오루 강에 가로등 조명이 발광 해파리처럼 떠다니기 시작했고 나는 평소보다 조금 일찍 잠에 들었다. 오래간만에 깊게 잠이 들었던 것 같았다.

10월 13일.

깊게 잠이 든 나는 새벽에 개운하게 잠을 깼고 아침부터 게스트하우스를 나서 구글지도에 있는 명소들을 반시계방향으로 모두 돌아보았다. 트램을 타고 도시의 끝에 있는 강과 바다가 만나는 지점까지 가서 낚시를 하는 사람들과 사진을 찍기도 하고 강을 가로지르는 다리를 건너가서 포트와인 시음회에 참가해 와인도 하나 사고 역사박물관이며 시청이며 성당까지 온종일 쏘다녔다. 오후에는 갑자기 비가 오기 시작했는데 나는 순례 중에 우비를 잃어버린 다음 거의 한달이 지나 오늘에 이르러서야 우산을 하나 장만하였으니 우산이라는 물건이 세상 신기하고 간편할 수가 없어 몹시도 기쁜 상태가 되었다. 따라서 우산을 하나 받쳐들고 먹구름이 엷게 긴 하늘과 지평선 가까이 내려앉은 해를 보며 시음회에서 구매한 포트와인을 마셨는데 와인이 도수가 좀 많이 높아서 약간 취기가 감돌았다. 감도는 취기를 방패막 삼아 마치 전문가라도 된듯 버스킹 공연을 약간의 호응과 함께 감상하며 거만한 박수를 보내어도 보았고 그마저도 여흥이라 느껴지니 온 세상이 내 것처럼 보였다. 그럼에도 슬슬 취기가 사라져감에 따라 잊고 있었던 10월 초가을의 서늘한 추위가 느껴지기 시작했는데 그 때문에 옷도 새로 하나 장만하기에 이르렀다. 새 옷을 산 다음 게스트 하우스에다 밀어 넣고 다시 방을 나와 이제는 조금 눈에 익었다 말할 수 있는 도시를 돌아다니며 생각에 잠겼다. 포르투는 아름다운 도시이지만 그 속에서 내가 할 일은 없었다. 그러던 중 강가를 떠도는 유람선들이 눈에 띄어 내일 아침 출정하는 편으로 표를 하나 예매했다. 내일은 확실히 비가 오는 것으로 되어있었으나 비가 오고 날씨가 궂어야만 떠날 수 있는 여행도 있는 것이라며 스스로 고집을 피우는 중이었기에 기상 상황은 그다지 문제가 되지 않았다. 배편을 예약하고 다시 밤이 깊어 갈 때까지 또 다시 책 하나를 옆구리에 끼고 강가를 돌아다니다 자정이 되어 갈 무렵 돌아와서 잠이 들었다.

10월 14일.

역시나 오늘은 아침부터 물살을 너울거리게 만들 정도로 풍랑이 일었고 하늘은 수채화 물통처럼 짙은 회갈색을 띄며 당장이라도 비가 퍼부을 기세였다. 그러나 그럴 때 일수록 배는 출항해야 하는 법이다. 밖을 나서 항구에 가 보니 나의 아르고 호이자 피쿼드 호이면서 동시에 산타마리아 호이기도 한 오크 색을 띈 조그만 플라스틱 유람선 하나가 항해 준비를 마치고 암녹색 물살이 이는 강 위에 찬 바람을 휘감으며 떠 있었다. 나는 우리의 에이해브 선장과 악수를 나누고 대서양 중앙 지점에 있는 보물섬까지 항해를 하기로 하고 약 1년 정도 분량의 항해물자가 올바르게 선적되었는지 확인한 다음 내가 자리할 것으로 기대되어지는 좌석에 착석하였는데 약간 실망스럽게도 우리의 강철함선은 성난 말의 콧김과 같은 증기를 내뿜는 것이 아니라 노인의 투덜거리는 소리와 같이 털털거리는 모터소리를 내며 출항을 하는 것이었다. 그러나 그것은 별다른 문제가 되지 않았다. 항해여비가 모자란 것을 두고 배를 탓할 수는 없잖은가. 나는 뱃머리 근처에서 도오루 강을 내려다보며 속을 들여다볼 수 없는 탁한 물결이 날씰과 씨실이 교차하듯 마름모 문양의 엠보싱과 디보싱으로 수면을 가득 메우는 것을 흡족한 마음으로 지켜보았는데, 그때는 이미 비가 내리기 시작하였으므로 나는 우산을 쓰고 있었다. 다만 안타깝게도 바람이 세게 부는 바람에 비가 가로로 내려 우산은 큰 효용이 없었고 나는 비바람 속에서 세이렌과 모비딕을 상상하며 포르투 해안 절벽과 수평선 저 너머를 관찰하기에 이르렀다. 이제 조금만 더 가면 이 배를 격침시킬만한 위협적인 무언가를 만날 것이라는 생각이 들 찰나, 항해사와 선장이 편을 짜고 선주인 나에게 선상반란을 일으키고 말았다. 그들은 아무 말도 없이 뱃머리를 대서양이 아닌 포르투 내륙으로 돌리는 중이었고 나는 무자비한 반란의 행위가 주는 혼란스러움 속에서 항해란 무엇인가를 떠올리며 인간과 바다와 하늘이 팽팽하게 힘을 겨루는 강렬한 긴장감을 느끼고 있었다. 결국 출항할 때는 50톤 짜리 선박이었으나 돌아올 때는 플라스틱 오리배로 귀항한 나의 영광스런 항해는 이렇게 막을 내렸고 배가 고파진 나는 으깬 대구를 곁들인 감자튀김으로 아침 겸 점심을 먹고 해리포터로 유명하다는 어느 서점을 구경했다. 그러고는 남은 포트와인을 공원에 앉아 모두 마셨는데 몇몇 사람들이 나를 찍어서 그 사진을 에어드랍으로 보내주었다. 이제 내일이면 산티아고로 돌아가서 K를 다시 만난다. 그들은 잘 지냈을지 궁금하다.

10월 15일.

오늘 오후 버스편으로 산티아고로 돌아가기 전에 머리를 잘랐다. 머리가 꽤 길어서 앞머리가 눈을 가릴 지경에 이르렀으므로 나의 총명한 눈동자가 케라틴 조직 따위에 숨겨지는 것을 원치 않던 나는 구글리뷰에서 가장 호평을 받는 어느 중년 남성의 손에 나의 이른 바 '신체발부 수지부모'를 맡겼다. 시간이 어느정도 흐르고 언어의 숨막히는 장벽에도 자기 할 일을 마친 이발사가 자신의 솜씨가 마음에 드는지를 나에게 질의하였을 적에 나는 전 세계의 사람들이 그러하듯 그냥 '참 마음에 듭니다 선생.' 하는 식으로 대충 떠넘기듯 말하고 서는 자리를 털고 일어났다. 거울은 봐도 좋고 보지 않아도 좋다. 내 외모는 정해진 상한과 하한이 명확하여 이발사의 솜씨가 그렇게 영향을 미치지 않을 것임을 잘 알고 있었다. 이미 수십년간 거울을 통해 내 얼굴을 봐왔고 앞으로 살아온 날보다 두 배는 더 내 모습을 찬찬히 보게 될 내가 하는 말이니 이쪽분야와 관련하여 말을 할 적엔 적어도 내 모습에 대한 말은 반드시 맞는 말이다. 오후에 버스를 타고 산티아고로 돌아오니 이곳은 정말 가을날씨가 다 되어 있었다. 당장 추워서 얇은 간절기용 외투를 꺼내 입고 산티아고 대성당 앞을 서성이며 아일랜드 여행 동선을 짜다가 이틀 후 아일랜드로 떠나기 전까지 내가 머무를 알베르게에 짐을 풀고 곯아 떨어졌다. 잠이 들기 직전에서야 겨우 스스로에게 털어놓았다. 사실 머리가 맘에 안든다고.

10월 16일.

K를 다시 만났다. 나는 그들에게 10월 초가을의 포르투가 얼마나 아름다웠는지를, 구름 걷힌 해안 도시에 바람이 부는 광경에는 맑은 하늘색과 선명한 주황색이 스며들 듯 반짝인다며 잔뜩 신이 나서 말했고 그들 또한 연두색과 바다색의 눈을 깜빡이며 경청해주었다. 우리들은 광장에서 사진을 찍고 음악에 맞춰 손을 잡고 빙글빙글 돌기도 하고 순례를 완주했다는 것에 대한 소회를 글썽이며 포옹을 나누다가 각자 짐을 풀기 위해 저녁 약속을 잡고 흩어졌다. 그날 저녁엔 첫 날부터 순례를 같이 시작했던 두 명의 K와 저녁을 같이 먹게 되었는데 그 중 하나는 영국 출신의 머리가 온통 구불구불하여 사자 갈기를 연상시키는 눈이 새파란 젊은 남성이었고, 다른 하나는 미국에서 배우 활동을 하고 있는 30대 즈음의 눈이 검은 여성이었다. 나는 저녁을 같이 먹으며 그들이 내가 없는 동안 본인들에게 있었던 일들을 말해주었는데 정말 파란만장했다. 돈이 모자라 아무 술집이나 들어가 남은 여비를 몽땅 내어주고 광란의 저녁을 보냈다는 믿지 못할 이야기와 순례 도

중 정신나간 변태를 만나 경찰과 함께 그 사람을 쫓아다녔다는 이야기를 들었고 뿐만 아니라 그 외에도 그룹 챗에 같이 소속된 다른 K들의 근황을 들으며 시간 가는 줄 모르고 밤까지 같이 있었다. 나는 내일이면 아일랜드로 떠나야만 했기에 우리는 작별과도 같은 인사를 건네며 미래에 또 만나자는 근거없는 고집을 약속삼아 맹세하고 마지막으로 밴드에서 보컬로 활동한 적이 있던 K는 길거리 밴드 악기를 빌려서 나를 위해 노래를 몇 곡 들려주었다. 여전히 나는 가끔 그 동영상을 보며 그 사람을 생각한다.

K에게.

잊을지도 모릅니다. 산티아고에 도착하면서 불과 한달 남짓에 불과했던 여정 중 한 웅큼에 해당하는 분량이 수증기처럼 날아가고 더블린으로 향하는 비행기에 발을 올리면서는 또 다른 한 웅큼의 여정이 증기처럼 사라집니다. 아마 잊을 것입니다. 그러다가 다 잊고 난 후에는 끝내 기억하겠다는 한 사람의 아집만큼의 분량만이 남아 아스라히

멀어지는 과거를 되짚어 보려는 모든 말썽들을 위로하고 있는 모습을 보게 될 것입니다. 추억이란 어떻게 기억하겠느냐에 관한 사람의 마음과 그 마음 속에 영원히 남을 약간의 부스럼 그 뿐. 당신과 나누었던 모든 대화도 꿈결처럼 스쳐가고 뻐끔거리는 입모양만 남아 그래서 내가 당신을 운명처럼 만났듯 또 다시 운명처럼 당신을 잊을 것입니다.

마침내 소설의 마지막처럼 우리가 작별하며 나누었던 얘기들은 이제 더는 그 누구도 알 필요가 없는 것이 되겠습니다. 다들 안녕하길.

4. 아일랜드

10월 17일.

언젠가 K는 나에게 언어란 그것을 사용하는 사람의 사고를 규정한다는 주제로 이야기를 했던 적이 있었다. 나는 그 말을 듣다가 우리나라의 정서를 표현하는 말들 중 그리움이라는 단어를 설명해줬다. 영미권에서는 누군가를 그리워할 때 missing 즉, 잃어버렸다는 말을 하지만 우리는 drawing, 즉 그린다는 표현을 통해 마음을 표현한다고 말했다. 그것이 사실인지는 전혀 모른다. 그래도 대상을 회고한다는 것은 그런 의미가 아닐까 생각하며 나는 말을 이어 나갔다. 무엇인가를 그립다고 말할 때 꼭 그것을 잃어버린 것처럼 생각하는 경우는 드문 법이다. 우리가 그리워하는 대상은 우리가 알면서도 놓아줘 버린 것이기도 했고 아는 듯 모르는 듯한 그런 상태에서 떠내려가듯 사라졌던, 결코 잃어버리지는 않았음에도 불구하고 약간의 미련이 남았던 대상들이 아니던가. 나아가 마음에 물로 그림을 그리듯 희미하게 그리우면서도 되찾겠다는 생각만은 하지 않을, 누군가의 날숨만큼의 무게로 영원히 마음에 뿌연 자욱이 남는 그런 대상들을 생각하는 마음이 그리움이 아니던가. K는 잠자코 듣고 있다가 썩 괜찮은 언어라며 고개를 끄덕였다. 나도 그렇게 생각했다.

역시나 마찬가지로 졸음과 싸워가며 탑승객들의

안전을 지키며 아일랜드에 도착하였는데 정말 추웠다. 너무 추웠던 나머지 이곳의 기온에 대하여 일종의 적개심마저 치밀었다. 꽤 저녁이 되어서야 버스에서 내려 예약해둔 게스트 하우스로 들어갈 수 있었는데, 당시에 받았던 첫 인상은 온 세상이 습기에 산란된 조명으로 가득하여 앞이 잘 보이질 않았다 정도였다. 하지만 그토록 내가 바라던 장소에 온 것이었으니 마음이 뛸 듯이 기뻤다. 노란 2층버스를 타고 오코넬 거리를 지나면서는 찰스 파넬과 오코넬, 중앙 우체국, 더블린 첨탑을 보며 이것이 꿈만 같다는 기분이 들어 그 모든 순간을 사신으로 찍었다. 나는 그 날 잠에 들면서도 예이츠 시집을 손에서 놓질 않았다.

10월 18일.

길게 생각할 것이 없었다. 마치 나의 온 인생이 오늘 이 자리에 오기 위함이었던 듯이 새벽부터 일어나 목욕재계를 하고 칫솔로 철퇴를 휘두르듯 양치질을 한 다음 그동안 아끼느라 입지 않았던 캐시미어 니트와 스웨이드 레더자켓을 껴입고 스

페인에서 산 정장 바지를 갖춰입은 후 뛰어내리
듯이 게스트하우스를 빠져나왔다. 내가 아일랜드
에 온 것이었다. 예이츠와 제임스 조이스의 나라,
에메랄드의 섬, 기네스의 나라, 켈트의 여명이 동
터오는 그곳. 따라서 가장 먼저 오코넬 거리를 보
러 갔다. 다니엘 오코넬은 Penal law로부터 시작
되어 영국으로부터 항상 박해받던 아일랜드의 카
톨릭 신앙을 처음으로 해방시켜 준 인물로 예이
츠는 그를 기려 '위대한 코미디언'이라고 불렀다.
동 틀 무렵의 하늘은 아이리스 색과 엷은 보라빛
으로 빛나고 있었는데 나는 그 순간을 아직도 잊
지 못했다. 다니엘 오코넬의 뒤로 더블린 첨탑이
보였는데 원래 그곳은 내가 알기로는 넬슨 제독
의 동상이 있던 곳이었으나 영국 식민 통치를 생
각나게 한다는 이유로 사람들이 끌어내렸고 현재
는 아일랜드의 눈부신 발전을 기념하는 더블린
첨탑이 그곳에 세워졌다. 나는 한참이나 그 앞에
서 사진을 찍어보려 했으나 첨탑이 너무 높아서
모습을 담는데 실패하여 결국 멋쩍은 실패작들만
남긴 채 더 뒤로 향했다. 그 곳에는 찰스 파넬의
동상이 있었는데 예이츠는 그의 시에서 찰스 파

넬을 마치 영웅과 동일시 하였는데, 앞서 말한 다니엘 오코넬이 아일랜드의 종교를 해방시킨 인물이라면 찰스 파넬은 농지 개혁을 통해 아일랜드의 영토를 아일랜드 농부들에게 돌려준 인물이자 나아가 정치적인 통합을 이룰 뻔 했던 인물로 예이츠에게는 어쩌면 불륜에 의한 실각만 아니었더라면 아일랜드의 완전한 독립을 쟁취할 수 있을 것으로 생각되었던 영웅적인 인물이었다. 또한 이 같은 파넬에 대한 평가는 제임스 조이스의 의원실의 담쟁이날에서도 찾아볼 수 있으며, 따라서 그러한 문학작품으로만 아일랜드를 접하던 나에게는 사실 더블린에 직접 오기 전까지 다니엘 오코넬보다 찰스 파넬이 더 아일랜드에서 영웅적인 평가를 받고 있으리라 생각하고 있었다. 찰스 파넬을 보며 그 동안 내가 머릿속으로만 상상하던 것들이 보이기 시작한 것에 대해 가늠할 수 없는 기쁨을 느끼며 다시 더블린 첨탑으로 돌아와 더블린 중앙 우체국인 GPO를 보았다. 아일랜드의 중앙 우체국은 1916년 부활절 봉기의 핵심 장소였고 따라서 아일랜드 독립의 시작점이 되었던 곳이었다. 중앙에는 패트릭 피어스가 영웅으로 삼

앉던 쿠훌린의 동상이 있었고 내부에는 부활절 봉기와 관련된 역사 박물관이 있었다. 예이츠는 이와 관련해서도 1916 Easter 라는 아름다운 시를 남겼으니 나는 다시 책을 펴 시를 읽으면서도 눈 앞에 보이는 글자가 거대한 형상처럼 느껴졌다. 책 속 세상이 눈 앞에 있는 것이다.

그렇게 새벽부터 길을 나서 어느 덧 10시 정도가 되자, 나는 미리 예매해 두었던 기네스 양조장으로 향했다. 어린 시절 읽었던 로알드 달의 소설 찰리와 초콜릿 공장에서는 배고픈 찰리가 초콜릿 공장 근처를 서성이다가 크게 숨을 쉬면서 달콤한 초콜릿 향으로 배를 채운다는 대목이 있는데 실제로 기네스 공장 근처로 가자 미처 공장이 채 보이기도 전에 쌉사름하면서도 구수한 보리향이 골목을 가득 메움으로써 나는 내가 어디쯤에 와 있는지를 인식하게 되었다. 그러나 나는 배가 고프지 않았는데 아일랜드가 나를 부르는 와중에 어떻게 배가 고플 수가 있었겠는가. 기네스 견학은 정말 멋졌다. 나는 음식에 관하여 기쁜 마음으로 먹고 마실 수 있는 것만이 중요하다고 믿기에 과연 그들이 술이 어쩌고 음식이 어쩌고 하며 교양삼아 먹거리를 추앙하는 것은 별로 취미에 맞지 않는 일이었지만 기네스는 참 좋았다. 마침내 리어왕이 말했다. "머리부터 발 끝까지 온통 기네스로다" 그렇게 기네스 공장을 나선 후 더블린 성, 크라이스트 처치, 더블리니아 등등 더블린을 하루 종일 쏘다니며 행복에 겨워 밥을 먹는 것을 끝내 잊었다. 오후 4시 경 높은 위도로 인해 해가 일찍 스러져가는 와중 마지막으로 나는 세인트 패트릭 성당으로 향했다. 아일랜드 사람들에게 세 갈래로 나뉜 토끼풀을 보여주며 성부와 성자와 성령이 하나임을 보여주고 그들을 개종시켰다는 세인트 패트릭은 아일랜드의 정체성을 만들어 준 성인으로 내부의 장식이나 건물의 규모가 다른 어떤 아일랜드의 건출물과도 비교할 수 없을 만큼 웅장하고 아름다웠다. 나는 이미 내 책에 토끼풀을 꽂아 말려 둠으로써 나 역시 세인트 패트릭과 모종의 관계가 있다고 말할 수 있는 셈이니 안방 드나들 듯 세인트 패트릭 성당을 구경하였더랬다. 그리고 밖을 나서니 어느 덧 정말로 해가 지기 시작하여 어스름이 구름 한쪽 편에서 몰려오기 시작했다. 나는 서둘러 오늘의 마지막 장소인 아일랜드 문학 박물관(MOLI)로 향했는데 이곳은 사실상 제임스 조이스 박물관이라 해도 될 정도로 제임스 조이스와 관련된 읽을거리가 많았다. 예전 여행을 떠나기 전 기숙사 룸메이트가 생일 선물로 사주었던 율리시스를 꾸역꾸역 몇 달 동안 읽었던 것이 기억났다. 어떻게든 읽을 뿐이었지 끝내 이해하지는 못하였던 현대문학의 성서 같았던 그 책을 다시금 되새기며 또 다시 내가 이곳에 오도록 이끌어준 위대한 작가 중 하나인 제임스 조이스에게 마음 속으로 경의를 표했고 엽서 몇 장과 목도리 하나를 사서 박물관을 나왔다. 저녁 무렵 스테판 공원에 잠시 들러 가로등 불빛 아래에서 책을 읽는데 작은 정자 아래에서 어느 남자가 공기인형과 왈츠를 추고 있었다. 내 마음도 그와 같았으니 아 더블린이여, 나는 이곳에 영영 살고 싶었다.

10월 19일.

더블린의 밤거리는 항상 습기로 인해 조명이 산란되어 아름답게 일렁인다. 오늘은 비가 종일 왔다. 글렌달록 국립공원과 킬케니를 당일 투어를 신청해 다녀왔는데 은백색의 구름 낀 하늘아래 적갈색과 연녹색, 청록색을 번갈아가며 띠는 이끼와 형언할 수 없을만큼 다양한 채도를 가진 말 없는 바위들이 내 마음을 사로잡았었다. 그것은 마치 카레산스이와 같으면서도 더욱 강렬한 미니멀리즘이 아니었던가. 나는 일기의 귀퉁이에 이렇게 썼었다. "이런 종류의 이끼는 '끼었다'로 표현할 것이 아니라 '피었다'라고 표현하는 편이 이치에 들어맞는다." 그렇게 축축한 밤거리를 걷다가 어느 펍에 들어가 음악을 감상했는데 갑자기 남자 셋으로 구성된 어느 손님들이 'Auld triangle'을 부르기 시작했다. 나는 그 노래를 알지 못했으나 반주 하나 없이 뽑아내는 그 소리가 너무나 아름다워 바텐더에게 물어 물어 겨우 그 곡의 제목을 알아내었던 것이다. 아일랜드에는 진실로 내가 바라던 낭만과 문화, 예술과 문학이 모두 있었다. 그렇게 다시 게스트하우스로 돌아온 나는 행복에 겨워 만면에 미소를 띤 채로 잠이 들었다.

10월 20일.

일년에 한 번있는 6월 16일은 아일랜드에서 제임스 조이스의 율리시스를 기념하는 블룸스데이라는 날이다. 나는 시기를 놓쳤으니 나 혼자만의 블룸스데이를 기념하고자 새벽부터 일어나 율리시스의 등장인물인 리오폴드 블룸의 동선을 따라 하루 일정을 만들었다. 그런 다음 옷을 최대한 단정히 차려 입고 샌디마운트 해변으로 향하는 버스를 탔다. 안타깝게도 샌디마운트 해변에 있는 탑은 현재 문이 잠겨 있어 주변만 한 번 멤돌고 해변가를 따라 산책하였으나 그마저도 신성한 의무처럼 여겨질만큼 나는 상당히 몰두하던 중이었기에 지루한 줄을 몰랐다. 그렇게 샌디 마운트 해변을 다 둘러본 나는 다시 버스를 타고 국립 산부인과 병원, 아일랜드 국립도서관, Davy byrnes라는 펍, 스웨니 약국, 에클가 7번지, 파넬의 무덤 등등 소설 율리시스 속 장소들을 거닐며 내가 상상했던 것들을 눈 앞에 두고서 또 다시 상상하며 하루를 보냈다. 그러던 중 아일랜드 국립도서관에서 예이츠 전시회를 여는 것을 보고 홀리듯이 들어가 한동안 앉아 있기도 하고 트리니티 대학에 들어가 켈스의 서를 보기도 하며 시간을 보내어 결국 목표한 바를 다 이룬 것 같구나 하고 고개를 들어 시간을 보니 어느 덧 점심도 먹지 못한 채 5시가 되어 있었다. 오늘은 배가 고팠기에 펍에 들어가 피쉬 앤 칩스와 기네스를 파인트로 시켜 저녁을 먹었는데 이렇게 맛있는 음식이 있는 줄 몰랐다. 감자튀김에도 식초 같은 것을 뿌려 먹는데 아마 이 맛은 영영 잊지 못하리라 믿으면서 맛을 음미했다. 오늘 역시 비가 많이 내렸던 관계로 조금 외풍을 맞았는지 몸이 약간 아프기도 했고 피곤하기도 하여 일찍 잠자리에 들어야 할 지 고민을 하다 갑자기 내일이면 카셀로 향한나는 생각이 들며 무엇에 씌었는지 벌떡 일어나 옷을 챙겨 입은 나는 밤이슬을 맞으며 템플바로 향했다. 내가 여태 봤던 술집 중 가장 아일랜드스러운 술집이었다. 사람들은 온통 흥청망청 취해있었고, 인근의 모든 펍에서는 음악이 흘러나오며 사람들은 소리를 지르며 박수를 보내는 중이었다. 나 역시 그 분위기에 피곤함을 잊고 기네스를 두 잔이나 비우며 박수를 쳤고 그렇게 한참을 있다 자정을 조금 넘겨서야 나는 침대에 몸을 뉘일 수 있었다.

10월 21일

오늘 역시 새벽부터 일어나 부지런히 짐을 챙기고는 카셀로 향하는 버스에 올라탔다. 버스 안에서는 바깥의 습기로 인해 뿌옇게 변한 유리창에 손가락으로 그림을 그리며 아일랜드의 풍경을 계속 지켜봤다. 그렇게 몇 시간이 지나고 카셀에 도착하여 게스트하우스로 향했는데 이틀 정도 묵게 될 숙소의 방 이름이 제임스 조이스였다. 조이스는 당시 더블린 사람들의 출판이 반려당하고 나서 죽어 묻히고 나서도 고국으로 돌아가지 않았는데 이렇게 온 국민이 애지중지할 것이었다면 살아 생전에 조금 더 잘해줬다면 좋았을 것이다. 짐을 다 풀고 밖으로 나오니 비가 세차게 퍼붓기 시작했다. 바짓 자락이 물을 머금어 쥐어짜면 물이 떨어질 만큼 비를 맞은 나는 인근 마을 성당에 들어가 잔돈을 기부하고 초를 하나 켰다. 이는 순례동안에 생긴 나의 습관 중 하나로 그렇게 초를 하나 켜놓고는 나의 무사귀환과 여행 전반에 대한 행운을 기원하는 것이다. 그렇게 추위과 비를 피해 성당에 앉아있는 사이 비가 조금 그쳤고 나는 포크 빌리지라는 마을 주민이 운영하는 개인 박물관을 감상하였는데 그곳에서 Penal law를 비롯하여 전반적인 아일랜드 역사를 수업처럼 들었다. 상당부분 아는 내용도 많고 잘 모르던 부분도 많아서 꽤 흥미롭게 들으며 가끔은 질문도 하였는데 자기나라 역사에 관심이 많은 여행자를 위해 할아버지는 정말 상세하게 설명해주셨고 조그만 기념품도 하나 주셨다. 그곳에서 새로 알게 된 바는 그러했다. Penal law는 우선 카톨릭 교도인 아일랜드 주민들의 모든 소유권이나 기타 권리를 영국인들이 뺏어가도록 하는 결과를 낳았는데 비록 18세기경 해당 법안이 폐지되었다고는 하지만 이미 대부분의 재산이 영국인들의 소유가 된 상황에서 실상은 전혀 그렇지 못했다는 것이다. 실제로 예이츠의 시에서도 그레고리 여사의 쿨파크 저택이 소유권 문제로 넘어갈 뻔했음을 알 수 있으니 그 설명이 이해가 갔다. 그렇게 시간이 흐르고 나서 19세기에 모두가 알고 있는 감자 마름병이 아일랜드를 덮쳤는데 사실 마름병이라는 것은 그 해에만 존재했던 것도 아니었고 감자의 흉작은 아일랜드에서 종종 있어왔던 일이라고 했다. 실제로 아일랜드의 국민들이 감자 마름병으로 인한 대기근을 겪어 죽어갔던 것은 Penal law로 인해 모든 것을 빼앗겨 감자에만 식량을 의존해야 했기 때문이었고 그로 인해 6년가량의 짧은 시간동안 2백만명에 가까운 아일랜드 국민들이 굶어 죽었다는 것이었다. 따라서 현지에서는 음식이 없어서 발생한 것이라는 뉘앙스가 담긴 Famine이라는 단어를 사용하지 않고 음식이 있음에도, 즉 인위적 원인으로 인한 비극임을 강조하기 위해 Hunger라는 단어를 사용한다고 했다. 이를 통해 아일랜드에서의 종교가 갖는 중요성이 얼마나 막대한지를 알게 되었고 이를 통해 다니엘 오코넬이 왜 그렇게 아일랜드에서 위대한 인물로 추앙받는지를 알 수 있었다. 그렇게 박물관을 나서 어느 덧 밤이 된 카셀의 거리들 사이로 술에 취한 사람들이 펍으로 향하는 것을 본 나는 펍들 중 하나로 들어갔는데 그곳에서 헐링 경기를 보았다. 그전까지만 해도 헐링 경기는 룰도 잘 모르고 다만 채가 어떻게 생겨먹었는지 정도만 알고 있었는데 내가 가만히 앉아서 티비를 보고 있으니 친절한 아일랜드 주민들이 와서 나에게 헐링경기 규칙을 알려주기도 했고 어디서 왔는지 아일랜드에 왜 왔는지 등을 물어보셨다. 나는 문학을 좋아해서 아일랜드에 왔다고 사실대로 얘기해 주었고 아일랜드를 좋아해서 순례길을 걸은 후 이곳까지 왔다는 동양인 친구를 위해 어느 아저씨는 맥주를 사주겠다는 고마운 말씀까지 해주셨다. 물론 정중히 거절했지만. 결국 헐링경기는 술에 취한 꼬부랑 발음들 덕분에 제대로 규칙을 이해하는 데에는 실패했지만 나름대로 열광적인 분위기 속에서 경기를 즐길 수 있었으니 무척 재밌었다. 이렇게 정감 넘치는 마을에서 산다는 건 멋진 일이라고 잠자리에 누으면서 계속 생각했다.

10월 22일.

오늘은 Rock of Cashel을 보러 갔는데 이곳은 과거 아일랜드의 왕이 살던 요새로 세인트 패트릭이 다녀갔다는 전설이 있는 곳이라고 한다. 성을 주위로 켈트식 십자가와 무덤이 늘어서 있고 그

주위로는 초록을 넘어 푸른 빛을 띄는 잔디가 펼쳐져 있는데 마치 폐 속을 차갑게 쏘는 듯한 찬 공기와 함께 둘러본 그 풍경이 나는 몹시도 마음에 들어서 현재는 석조 외골격만 남은 그 건물을 쉽사리 떠나지 못하고 계속 서성였다. 하지만 엄습해오는 한기를 당해내기가 힘들어서 애타듯 아쉬운 마음을 조용히 삼키고는 내려갈 채비를 하다가 문득 저기 보이는 언덕 너머 들판 한가운데에 있는 또 다른 유적을 발견하였다. 여전히 날은 추웠지만 고집스레 그곳으로 향했는데 이곳의 이름이 Hore abby라고 했다. 조금 더 가까이 가려고 보니 사유지 내부에 있는 관계로 설명도 없고 접근이 안되는 것 같아 보였다. 정말 폐허처럼 덩그러니 놓여져 있었는데 들어가도 되는지를 한참을 고민하다가 앳되어 보이는 학생들 무리가 들어가는 것을 보고 나도 따라 들어가서 유적지를 둘러보기로 하였다. 석조 건축물의 폐허에는 다소간의 적막함과 덩그러니 놓인 그 형태에서 느껴지는 고풍스러움이 있다. 그곳에서 다시 Rock of cashel을 올려다 보니 이곳에서 보는 풍경도 퍽 마음에 들어서 또 다시 퍼질러 앉아 한참을 떠나지 않고 머물렀다. 오늘은 아침에 비가 오고는 구름이 비단자락처럼 하늘에 넓게 펴져 있었는데 확실히 풍경을 완성하는 요소는 오로지 구름이었다. 서울에서 하늘을 보더라도 구름 하나만 예쁘게 펼쳐져 있다면 보이는 모습은 이곳의 풍경에 비추어봐도 손색이 없을만큼 아름다울 것이다. 나는 인간의 모든 상상력과 우리가 사물을 보며 생각해내는 모든 의인관의 기원이 구름에 있다고 줄곧 생각해왔다. 이와 관련하여 어느 날 K에게 나는 구름의 중요성을 설파했던 적이 있었다. K는 별로 대꾸가 없었다. 아무래도 당시에는 날이 너무 무더웠기 때문이었던 것 같다. 오늘은 쌀쌀한 초겨울 바람으로 흔들리는 청록빛 풀들로 반짝이는 초원과 노을이 지며 드리웠던 석류빛 하늘로 숨이 멎도록 고혹스러운 장관이 연출되었는데 아일랜드 기후의 특성상 어쩌면 오늘이 석양을 보는 마지막 날일 수도 있다는 생각에 게스트하우스에 들러 온통 옷을 싸매고 나와 석양을 구경하였다.

10월 23일.

조그마한 시골마을 카셸을 뒤로하고 코크라는 아일랜드에서 세번째로 큰 도시로 향했다. 개인적으로 이날부터 일주일 가량 동안 내가 보았던 아일랜드의 풍경은 어딘가 눈물이 나올 정도로 내게 가슴 깊이 와닿았던 터라 한편으로는 나의 조악한 언어로 이곳을 설명할 길이 없어 마음이 울적하였다. 내가 코크에 도착할 즈음엔 할로윈 주간이 시작되고 있어서 슬슬 아일랜드의 거리가 호박색과 형광을 띄는 갖가지 화려한 색상들로 물들고 있었다. 짐을 게스트하우스에 맡기고 나서는 곧장 부둣가 근처에 들어선 벼룩시장이 열리는 컨테이너로 들어갔는데 많은 사람들이 가족들과 함께 이곳을 찾아 맛있는 음식을 먹으며 재밌게 시간을 보내던 중이었다. 홀로 다니던 나는 앉을 자리를 찾지 못하여 한참을 멤돌다 구석 어느 자리에 빈자리를 찾아 그곳에서 요깃거리를 구매하여 끼니를 해결했는데 그러면서도 내내 할로윈의 전조에도 불구하고 잔뜩 들뜬 사람들의 웃음과 쾌활한 분위기를 지켜보는 것을 소홀히 하지 않았다. 나는 그냥 그들이 부러웠던 것 같다. 마냥 부러워하는 것 말고는 다른 방법이 없던 것처럼.

부랴부랴 식사를 마친 나는 가이드북을 따라 시내를 둘러보았는데 이곳은 사이에 바다로 이어지는 강을 낀 골짜기의 형태로 도시가 세워져 있어 포르투를 생각나게 만들었다. 그럼에도 지중해 인근의 유럽도시에서 나오는 분위기는 없었기에 익숙하였으면서도 꽤나 이질적이었다. 지금 기억나는 것으로는 나는 도로와 다리 사이를 거닐다 문득 내려다 본 물 속에서 보았던 커다란 물고기와 내가 직접 음을 연주할 수 있었던 교회의 종탑, 힌두어로 예배를 드리던 신기한 교회, 저녁 무렵 문이 닫히기 직전 겨우 도착하여 간신히 내부를 둘러볼 수 있었던 키다란 성당과 그 옆에 늘어선 작은 성채 하나가 있었다. 비는 오다가 그치기를 반복하였으며 겨울이 가까워 짐에 따라 해가 점점 짧아져 5시 경에는 석양을 볼 수 있었다. 그런 것들을 피부로 느끼며 나는 어딘가에서 불어오던 차갑고 습한 부둣가의 짠 바람을 입으로 맛보며 그렇게 하루 종일 거리를 쏘다녔다. 저녁이 되어서는 사람들이 무척 붐비는 펍에 들어가 기네스를 하나 시켰는데 약간 가라오케의 형태로 사람들이 번갈아가며 노래를 부르는 곳이었다. 연세가

지긋하신 분들이 대부분이었으며 그럼에도 그런 분들이 모두 모인 듯이 펍은 발 디딜 곳이 없었다. 나는 그곳에서 유일한 외국인이었던 듯했고 또한 가장 나이가 젊었다. 한동안 사람들을 구경만 하던 내게 담홍색 정장을 입은 나이 든 신사 한 분이 자기가 실제로 가수였다며 영상을 촬영해달라고 하셨다. 나는 곧 그것이 무엇을 의미하는 지 알았다. 그것은 '여전히'라는 마법의 개념이었다. 여전히. 무대위의 열정과 막이 내린 후의 적막을 번갈아 견디는 것으로 수십년의 세월이 지났지만 '여전히' 오래된 무대에서 자신을 기억해 주는 관객들 앞에서 노래를 부르는 가수. 건재함의 그것까지는 아니다 하여도 무대 위의 자기 자신의 열정과 그를 통해 아직도 무언가가 꺼지지 않은 잔불의 응어리처럼 영혼 속에 들끓어 있음을 그는 그의 입장에서는 한참 어리고 또한 이방인인 내게 보여주고자 했음을 나는 알았고 그 노련하면서도 약간은 긴장된 시선과 긴장된 만큼이나 뛰쳐나올 듯한 번뜩이는 섬광이 그의 전혀 늙지 않은 푸른 눈동자에서 발산하는 것을 느꼈다. 그래서 그가 노래를 부르는 모습을 열심히 녹

화했다. 하지만 왜였을까. 내가 촬영한 영상은 어딘가 그의 거장됨을 증명하지 못할 것처럼 보였고 날아오를 듯했던 무대도 그 마음에 비해서는 조금 과잉되어 보였다. 따라서 나는 그런 영상을 보낼 수는 없다고 생각했으니까 연락처까지 받았음에도 그에게 내가 촬영한 영상을 보내지 않기로 하였다. 아마도 그 젊은 친구는 겉보기보다 무신경하고 예절이 바른 사람은 아니었기 때문에, 그래서 분명히 까먹었거나 연락처를 잘못 받아 갔던거야. 나는 그가 그렇게 생각하도록 만들자고 노래를 듣는 내내 결심했고 바랐다. 그래서 이제 막 무대를 마치고 내려온 그에게 어딘가 고장난 듯이 쭈뼛쭈뼛 다가가 경의와 감사를, 끝내 말 못한 미안함까지 담아, 전하고 조용히 숙소로 돌아왔다.

10월 24일.

아일랜드의 남서쪽 지도를 보면 육지의 끝이 포크처럼 세 갈래로 삐죽 튀어 나와있다. 오늘은 그 세 갈래의 끄트머리 중 하나인 Ring of Kerry를 투어하기로 했다. 아쉬웠던 것은 대체로 날이 흐려서 대부분의 투어 동안 맑게 개인 하늘을 보기가 힘들었다는 것이었지만 굳지 않은 시멘트 반죽처럼 회백색의 눅눅한 하늘이 풍경을 더욱 아일랜드답게 보이도록 만들어 그렇게 나쁘지는 않았다. 이끼와 잡초로 무성히 뒤덮힌 초원과 초원 위를 가득 메운 둥근 돌들, 그 위로 또다시 이끼들이 자라나는 아무것도 없을 벌판들이 여전히 내 마음을 즐겁게 했다. 이 부근의 지역은 아일랜드에서도 특히 길이 험하고 구불구불하며 절벽이 많은 곳이었는데 푸르다 못해 검은색으로 깊은 바다를 향해 기울어 있는 절벽의 비탈과 그것을 따라 지어진 조그만 돌담들, 그 안에서 이끼를 뜯어먹는 양떼들을 보며 형언할 수 없을 만큼 심장이 두근거렸다.

10월 25일.

일기를 쓰고 싶지 않다. 왜 나는 계속 이렇게 마음에도 없는 미사여구를 늘어놓으며 거짓말을 해야하는가. 이건 쓰레기다. 오늘 나는 울타리 하나 없는 아일랜드의 딩글 반도에서 해안 절벽 위를 거닐며 바다로 나를 밀어내는 거센 바람을 느끼고는 문득 아래를 내려다봤는데 세상이 너무 아름다워 보였다. 그리고 내가 늙지 않은 지금의 내 모습으로 기억될 수 있다면 죽는다 하여도 그것만의 장점이 있을지도 모르겠다고 생각했다. 젊어서 죽는다는 것은 청춘과 젊음을 박제하는 것과 같으니 죽은 사람의 본질은 그대로 고정되어 모두에게 호박 속의 곤충처럼 늘 같은 모습과 형태로 기억될 것이다. 그래서 한동안 멍하니 있다가 나는 결국 바위에 낀 축축한 이끼에 미끄러져 발을 헛디뎠다. 돌멩이가 하나 절벽 아래로 떨어졌다.

죽은 것이다. 나는 그때 한 번 죽었다. 다리가 후들거렸다. 그래서 일기를 며칠만 더 써 보기로 했다.

10월 26일.

가는 길은 오는 길의 역순이다. 종이 시간표 하나

들고 골웨이로 가는 야간버스를 탔다. 밤은 깊어지고 버스는 오지 않았다. 초조해진 나는 연신 종이시간표를 들여다보며 텅빈 도로앞에서 불안함을 느꼈다. 버스는 1시간 후에 도착했다. 골웨이로 가는 길은 어두웠고 불안함에 지친 나는 잠이 들었다.

10월 27일.

카일모어 수도원과 코네마라 국립공원 예이츠는 회색 빛 코네마라 천을 시 속에서 노래했지만 실제 그것은 스코틀랜드에서 가져온 천이었다고 했다. 카일모어 수도원에서 나는 한 가족의 가정사를 들여다봤다. 9명의 자녀를 둔 행복한 가족, 아내를 사랑하여 그녀가 사랑하던 코네마라 지역에 성을 짓고 선물했던 남편, 그러나 45세에 운명한 아내와 그 즈음에 여읜 조그만 딸아이 하나. 그 후로 성이 수도원으로 쓰이기 전까지 홀로 아내를 그리며 살다가 85세에 죽은 남자와 그 모든 시간을 함께해준 호숫가의 하얀 성. 가슴아프면서도 아름다운, 그러나 결국은 평범한 몇 인간들의 이야기.

10월 28일.

모허절벽에서 여우비가 계속해서 내리다 그치기를 반복했다. 대지를 부러뜨려 세로로 박아 놓은 듯한 그 숨막히는 절벽에는 따라서 무지개가 피어올랐다. 위대한 거인, 장엄한 고래와도 같이 압도적인 기암괴석, 그 위로 융단처럼 깔린 초록빛의 아일랜드.

10월 29일.

아란제도에는 아일랜드 전역에 널린 이름없는 유적지들과 마찬가지로 이름없는 성곽들이 즐비했다. 이름없는 성곽에는 걸어서 이르는 길조차 없어 덤불을 헤치고 낮은 바위 담장을 넘어가야 했다. 성곽에는 보러 오는 사람도 없이 히스 풀과 이끼만 가득했다. 그곳에서 섬을 바라보니 곳곳에 고인 늪지와 작은 바위들, 낮게 자란 초록 들풀밖에 없었고 찬 바닷바람에서 나는 짠 냄새와 습기를 머금은 바위냄새가 뒤섞여 온통 머릿속에서는 옛 기억들이 떠올랐다. 그냥 옛날의 내가 추억이라고 여태까지 생각해왔던 몇 가지 일들 말이다. 돌아오는 길에는 바다 가운데 부표처럼 머리만 내밀고 떠있는 물개들을 보았다. 물개도 나를 보았던 것 같다.

골웨이 거리는 할로윈을 맞은 사람들로 무척이나 붐볐다. 나는 무엇을 해야 좋을 지 몰라서 한동안 거리를 둥둥 떠다녔고 어느 술집에 들어가 흥겨운 노랫소리에 맞춰 신나게 춤을 추는 사람들을 구경했다. 그러다가 나도 결국엔 조금이나마 그 속에서 몇 번의 웃음을 터뜨렸던 것 같다.

10월 30일.

새벽 버스를 타고 골웨이를 떠나 슬라이고에 도착했다. 슬라이고는 직접 보지 않았더라도 예이츠의 시를 통해 초승달처럼 나있는 해안선을 상상할 수 있었다. 도시를 감싸듯이 양끝에 솟은 불벤산과 녹내리산이 시내에서도 한눈에 보였다. 버스를 타고 스트랜드 힐에 내려 코니아일랜드와 로

스즈포인트를 둘러보았다. 아일랜드 전설에 따르면 이곳 해변의 바위 위에서 잠이 든 사람은 요정들이 납치해간다고 했다. 나는 해변을 왼편에 두고 길을 걸으며 시 몇 구절을 머릿속으로 떠올렸다. 이제 다음부터는 시를 읽으며 해변을 떠올릴 수 있겠다고 혼자 고개를 끄덕이다 바다 위로 가라앉는 해를 보고 미리 예매해 두었던 할로윈 행사를 보러 갔다.

알고 보니 인근 대학에서 마을 어린이들을 위해 연 작은 귀신의 집 행사였다. 여태 할로윈다운 할로윈은 겪어보지 못했던 것 같다. 늘 나는 귀신분장을 하고 이웃집 문을 두드리는 꼬마들을 보고 싶어했지만 한국에서는 그럴 기회가 없었으니까. 어린이들은 어린이 답게, 학생들은 학생들답게 어른들은 어른들 답게 할로윈에서는 자기 역할에 맞게 행동했던 것 같다. 나는 옆에서 그 풍경들을 면면히 지켜보며 만족감을 얻었다. 그래 참 보기에 좋았다는 생각이 들었다.

10월 31일.

아침부터 일어나 버스를 타고 예이츠가 묻혀 있는 드럼클리프 마을로 갔다. 교회 앞 작은 무덤가에 예이츠가 잠든 조그만 비석에는 '벤불벤 아래에서'의 구절이 적혀있었다.

Cast a cold eye

On life, on death.

Horseman, Pass by!

내 여행을 항상 함께 해온 사람이 쓴 그 글귀를 읽으며 코 끝이 아려왔던 것 같다. 예이츠는 불벤 산 아래에 묻히기를 바랐다. 예이츠의 비석에서는 비스듬히 우거진 오크나무 사이로 벤불벤 산의 평평한 누총이 보였다. 그가 그토록 아름다운 시를 쓸 수 있다는 것도 조금은 이해가 되었던 것 같다. 그렇게 또 한동안 혼자만의 생각에 잠겨있다가 겨울이 다가오며 점점 짧아지는 해를 느끼곤 버스를 타고 다시 슬라이고로 돌아왔다. 예이츠는 벤불벤을 가리켜 북소리가 고동치는 땅이라고 말했다. 어쩌면 나는 이곳을 보러 다시 돌아올지도 모르겠다고 조용히 바라면서 하루를 마무리

했다. 집 밖에는 사람들이 할로윈을 맞이해 폭죽을 터뜨리고 아이들이 사탕을 받으로 돌아다니는 중이었다.

11월 1일.

슬라이고를 기준으로 벤불벤의 반대편에 자리잡은 녹내리 산 정상엔 아일랜드 전설에 나오는 메이브 여왕의 돌무덤이 있다. 오늘은 비가 조금 내렸지만 씩씩하게 걸어 올라갔고 정상에서 사실은 아무도 묻혀있지 않은 돌무덤을 보았다. 정상에 도달할 무렵, 비가 잠시 그쳐 여전히 구름으로 어두웠지만 조금 더 여유를 갖고 둘러볼 여유가 생겼다. 산 정상은 나무 하나 없이 온통 바위와 풀뿐이며 그 중앙에 조약돌로 가득한 돌 무덤이 하나 놓여져 있는데 마치 언젠가 네팔에서 보았던 산 위의 또 다른 산을 생각나게 만들었다.

나는 담배를 피지 않는다. 그럼에도 오늘처럼 찬 공기를 코로 들이마시면서 폐 끝까지 밀어 넣는 날에는 나도 담배를 핀다. 그것은 수분으로 만들어진 이념의 담배로 나는 그것으로 증기기관의 엔진을 흉내내기도 하고 상상속의 도넛을 만들기도 하고 영화 속 사람들처럼 옆으로 빠르게 뱉어내는 담배연기, 깊게 뿜어내는 담배연기, 코로 뱉어내는 담배연기 등등을 묘사하곤 한다. 그러고 나면 만족스럽다는 느낌이 든다. 아마도 실제 흡연자들과 크게 다르지는 않을것이다. 순례길에서 사람들이 담배를 말아피는 광경을 종종 보곤 했었는데 손으로 열심히 담배를 말아 종이에 침을 바르는 모습을 보며 꽤 그럴싸하다고 생각했었다. 그러나 안타깝게도 나는 그것까지 흉내낼 수는 없다. 흉내라는 것은 결국엔 아이들 장난에 지나지 않으므로 나는 영영 실제의 그것에 도달할 수는 없는 셈이다.

산에 올라가기 전에 돌을 하나 들고 올라갔었다. 나도 메이브여왕의 돌 무덤에 약간의 보탬이 되고 싶었던 것이다. 축축한 흙이 묻은 조약돌 하나를 쥐고 올라가서 산 정상의 돌 무덤에 돌을 하나 던져 넣었다. 돌은 던짐과 동시에 시야에서 사라지 내가 던진 놓은 돌이 어디로 뛰었는지 알 수 없게 되어버렸다. 다른 돌들과 구분할 수 없는,

나만의 돌. 이것으로 나도 아일랜드의 한 부분이 되었다고 말하고 싶었으나 아마도 아닐 것이다. 이제는 돌아갈 날이 얼마 남지 않았다는 옷 속에 모래알이라도 들어간 듯한 기분 나쁜 느낌을 지워낼 수가 없다. 제임스 조이스가 세상에서 가장 긴 거리는 집으로 향하는 길이라고 했던 것을 기억하며 다시 내리기 시작하는 비를 뒤로하고 방으로 다시 돌아왔다.

신화와 전설이 아름다운 이유를 나는 그것이 인간이 만들어 낸 것이기 때문이라고 생각한다. 사람이 신을 상상하며 돌을 쌓아올렸고 주인없는 산에 이름을 지어주었을 것이다.

11월 2일.

콘스탄스 고어부스가 살던 리서델 저택으로 가는 버스안에서 기사님과 수다를 떨다가 지갑을 두고 내렸다. 사실 그것을 나는 몰랐다. 10월부터는 리서델 저택이 개방을 하지 않아 나는 리서델 해변으로 향하는 사유지를 따라서 혼자 걸었다. 나는 그것이 마음에 들었다. 해변은 황량했고 잔디는 물을 머금어 물침대처럼 울렁였다. 나무는 바람에

휘어 갈퀴처럼 보였고 앙상한 가지에 덩굴이 얽혀있었다. 그렇게 해변을 한시간 내내 걷던 나는 다시 정류장에 돌아가다 슈퍼에서 간식을 먹으려 지갑을 꺼내는데 지갑이 없던 것이다. 당장에 당혹감과 불안함으로 휩싸인 나는 전화를 해보려 했지만 내 휴대폰은 번호가 없는 유심을 끼워서 통화가 불가능했고 자초지종으로 점원을 통해 버스회사에 연락했지만 아일랜드를 다니는 버스들은 각기 회사가 달라 문을 닫은 회사도 있었고 대부분은 그 버스회사가 아니었다. 누가 버스를 타면서 버스 회사까지 확인하겠는가. 나는 혹시나 하는 마음에 이번에는 욕지기를 내뱉으며 사유지를 따라 리서델 해변을 걸었다. 그렇게 세시간은 족히 걸었던 것 같다. 다행히 비상용 카드는 있었고 지갑에는 100유로 정도만 들어있었지만 좌우지간 자신이 잃어버린 것은 절대 스스로 찾지 못하는 법이 아니겠는가.

앞으로 3시간 후에 슬라이고로 돌아가는 버스가 온다고 했다. 나는 그 말을 듣고 한동안 서있다가 웃음을 터뜨렸다. 나는 내가 가지지 못한 것에 대해서는 무엇이든 지불할 용의가 있는 탐욕스러운 인간이지만 내가 소유하고 있는 것들을 위해서도 같은 마음을 품을 수 있을까? 모든 것이 그렇게 우스울 수가 없었다. 그래서 냅다 도로를 향해 엄지를 펼쳤다.

이윽고 덜덜거리는 먼지투성이 자동차 하나가 가던 길을 멈췄다. 그 안에는 백발이 성성한 곱슬머리 할아버지 한 분이 타고 계셨다. 나는 차에 타서 자초지종을 설명하고 슬라이고로 가는 길이라고 말씀드렸다. 그때도 나는 쾌활하여 몸이 몹시 가뿐하였다. 그 노신사분은 내 말을 듣더니 자기 이름은 K라고, 그리고 지갑을 찾아주겠다고 하셨다. 우리는 잠시 슬라이고로 향하는 길에서 종교에 대한 얘기를 했다. 나는 순례길을 걷다 왔고 종교에 대한 기본적 교양은 갖춘 사람이니 대화를 이어 나갈 수는 있었다. 그는 카톨릭 중에서도 프란치스코회라고 했다. 그의 곱슬한 가운데 조금 비어있는 정수리를 보며 나는 탁발 수도사를 떠올리고는 조용히 고개를 끄덕였다. 슬라이고에 도착하여 내가 몇 시편 버스를 탔는지를 확인한 다음 K는 버스터미널 직원에게 해당 버스를 운임하는 회사의 연락처를 알아내었고 버스회사에 전화를 걸어 해당 버스기사의 개인 연락처를 탐정처럼 척척 알아내었다. 마침내 버스기사에게 연락을 걸었더니 그는 아침 첫 버스에서 유일한 승객이자 대화를 나누었던 동양인을 여전히 기억했고, 지갑을 누가 돌려줬으니 저녁에 자기가 슬라이고로 도착할 때를 기다리라고 했다. 나는 기대조차 하지 않았기에 심장이 쿵쾅거렸다. 이런 기분은 전 여자친구에게 고백했을 때 이후로 오래간만이었다.

K와 나는 남는 시간동안 커피를 마셨다. 내가 사주겠다고 했는데도 그는 기이고 만류하며 커피값을 본인이 내셨다. 나는 니체를 좋아하지만 니체를 모른다. 그것은 한 여자를 온전히 이해하지는 못하면서도 여전히 사랑한다는 것과 마찬가지로 이해의 영역과 감정의 영역이 별개라는 것이다. 차라투스트라는 한 챕터에서 사라진 젊음에 대하여 '그대들은 나에게 죽음보다 더한 짓을 했다'라고 말했던 것이 기억난다. 아직 젊은 나는 그 말을 순간마다 떠올리며 지금이 죽음보다도 더욱 쓰라린 순간이라고 느낄 때가 많았다. 그는 만년에 이르러 우체국 앞에 선 말을 껴안고 목놓

아 울다 정신을 놓기 전까지는 하나의 초인과도 같았다. 신은 연민으로 죽었다. 자신을 극복할 줄 모르는 용기없는 인간이 신을 만들었고 신은 그런 나약한 인간을 연민하다 목이 매여 죽고 만 것이다. K는 사람들이 니체를 얼마나 왜곡하는지를 말하며 유감을 표했고 나는 그에게 순례길에서 누군가 나에게 건네주고 도망간 팬던트 하나를 보여주었다. 놀랍게도 K는 조용히 금갈색 담배케이스를 꺼내더니 내 것과 똑같은 팬던트를 보여주었다. 그러고는 나에게 그것을 주었다. 그는 아무말도 하지 않았고 그것은 나도 마찬가지였다. 정적을 깨며 K는 이유없이 일어나는 일이란 정말이지 없다고 말했다. 나는 슬라이고 강 저편으로 보이는 회백색 구름이 낀 하늘에 시선을 두고 고개를 끄덕였다.

저녁 놀에 이르러 버스가 도착했지만 지갑을 돌려줄 당시, 안에 든 돈은 누군가 모두 꺼내 간 상태였다고 했다. 돌려준 분은 우크라이나 난민 여성분이었다고 했다. 상관없다. 그녀가 지갑에 든 돈을 보고 든 충동을 참아 내야만 했다고 나는 생각치 않았다. K는 내가 지내는 숙소까지 또 다시 차를 태워다 주었다. 그것이 슬라이고의 마지막 밤이었다.

나는 잠이 도통 오질 않아 밤 바다를 보러 나갔었다. 늘 여행이라는 것은 무언가 겨우 알겠다는 생각이 들 찰나에 돌아서서 떠나도록 되어있는 것이다. 집으로 돌아가는 길은 낯설게만 느껴진다.

11월 3일.

마르셀 프루스트로부터 배웠던 것 중 하나는 사람의 살아있는 시간은 밀도의 의미를 갖고 흐른다는 것이다. 예전 기형도 시인의 전집을 읽었을 때 불과 이십대의 나이에 쓰인 글에서 생애에 대한 어두운 암시가 그을음처럼 번진 것을 보고 이 사람은 알 수가 없었을텐데도 이미 알고 있었구나 하고, 그 어린 나이임에도 이미 평생을 살았었구나, 하고 생각했다. 최근 며칠동안 예이츠를 다시 읽으며 또 한 번 그런 것을 느낀다. 예이츠는 오직 한 번 젊었었다. 유년기를 보낸 잠깐의 슬라이고와 어머니와 아일랜드 사람들이 들려준 켈트 이야기, 사랑했던 여인. 그런것들이 인간이 젊은 시기에 갖는 시간의 조밀함을 느끼게 해준다. 어

릴 적 한두살 터울의 사람이 그토록 무서웠던 것
도, 나이가 들면서도 여전히 젊음을 소망하며, 술
을 마시고 사람들이 옛날 옛적을 노래하는 것도,
사람이 한 평생을 살아도 그 기나긴 시간의 핵심
이 어느 시기에 집중되어 있기 때문이 아닐까하
는 생각이 드는 것이다. 그러다가 어느덧 해가 뜨
지 않은 스트랜드 힐에 흰 파도가 떠밀려오는 것
을 보며 갈 시간이 되었다는 것을 본다. 젊어서
죽지 아니하는 사람은 앞으로 무엇을 노래하며
살 것인지를 정하는 중이다.

11월 4일.

더블린으로 돌아오는 동안 어제 마지막으로 들렀
던 예이츠 기념관의 책자들과 커버가 닳아 벗겨
진 그의 시집을 읽었다. 나는 글을 읽는 동안엔
세상 어느 것과도 분리되어 나만의 공간에 있을
수 있다. 더블린에 돌아와 짐을 풀고는 곧장 글레
스네빈 무덤으로 향했다. 찰스 파넬, 다니엘 오코
넬, 마이클 콜린스, 로저 케이스먼트, 아서 그리피
스, 데 발레라. 무덤에 적힌 이름들을 마지막으로

보았다.

오후에는 더블린 근교의 마을 호스에 갔다. 예이츠는 이곳에서 모드 곤과 산책을 하다 처음으로 청혼을 했다고 알려져 있다. 비가 많이 오지는 않았지만 풍랑이 거세게 일어 파도가 높게 치는 바람에 해안 방파제 위를 거닐다 파도에 바짓자락이 모두 젖고 말았다. 오늘은 여행의 마지막 날이었다.

11월 5일.

새벽부터 일어나 집으로 돌아갈 준비를 했다.

나는 어디든 갈 수 있었다. 무엇이든 할 수 있었고 그것을 얼마든지 할 수 있었다. 우리가 소유하고 있는 것들임과 동시에 우리를 소유하고 설명하는 여러 환경들이 이번만큼은 다른 양상을 보였다. 칼날이 눈 앞에 번득였고 폭풍이 일듯 마음이 요동쳤다. 삶에 다시는 주어지지 않을 종류의 순간이었으며 그동안 기기 기신으로 살아오는 것이 어떤 것인지 누구보다 잘 아는 나에게는 이런 순간이 다른 어떤 것들보다 분명히 감각되었다.

분명한 백지에다가 삶을 또렷이 그릴 수 있었던 순간과 이를 가능케 하도록 일생을 준비해 온 신념이 있었다. 그러나 돌아갈 시간인 고로.

K에게.

고등학교 졸업식 날, 자신감 없던 못난 나는 어찌할 바를 몰라 사진 몇 장만 찍고는 곧장 집으로 가버렸고 듣기로는 당시 나의 담임 선생님께서 나의 그런 행동을 보시고는 '저 애는 서울로 가면 두 번 다시는 나를 찾지 않을 것'이라며 섭섭함을 표시하셨답니다. 나는 참 못난 사람이었더랬습니다. 하지만 나는 그 이후로 십년이 지난 오늘에 이르기까지 항상 그 말을 되새기며 마음 아파했었습니다. 왜냐면 나는 한 번은 돌아갔었지만 그 말이 기억나 문 앞에서 서성이다 결국 뇌돌아갔기 때문입니다. 벌써 작년이 되버린 그때에 당신들은 나를 진심으로 반겨주었습니다. 재미난 얘기를 들려주고 나를 위해 노래를 불러 주기도 하였고 아플 때에는 약을 나눠주었고 같이 웃으며 사진을 찍어주었고 내 개인사를 들으며 눈물을 흘려 주기도 하였습니다. 순례가 끝났을 때에는 내 남은 여행을 축복하며 생일파티를 열어 주기도 하였습니다. 당시 나는 K인 당신들에게 말했습니다. '당신의 흰대에 싱용힐 수 있는 어행을 만들어 보이겠습니다. 나는 다짐합니다.' 그리고 실제로 그러하였답니다. 그러나 당신을 생각하면 왠지 마음이 아픕니다. 나의 무관심함과 배은망덕함으로 인해 내가 당신을 잊고 엽서 하나 써 보내지 아니할 사람이라는 것을 이미 예상하며 떠나왔던 것이기에 나는 한없이 부끄럽고 미안한 것입니다. 당신들을 언젠가 마주하는 날이 오기를 바라면서, 그러나 여전히 당신들이 찾아오지 않을 것임을 알면서 이곳에서 온 마음으로 기다리겠습니다. 물방울이 짙게 끼는 날씨에서는 모든 것이 초점을 잃은 듯 뿌옇게 흐려 보입니다. 그리고 그런 궂은 날에는 하늘이 아이리스 색으로 물들어 더욱 고혹한 아름다움을 뽐냅니다. 산티아고에서 우리가 재회하여 보낸 며칠 동안은 항상 그런 날이었더랬습니다. 다음이 있다면 또 봅시다. 그럼 이만 총총.

후기

낮이 없는 극야와 밤이 없는 백야가 모두 우울함을 유발하듯 나의 여행은 한동안 내 일상을 회색으로 물들였습니다.

이 글은 맞춤법도 틀리고 목적과 의도가 없는 관계로 경향성이 없고 시제나 시점의 일관성도 없는 그야말로 졸작입니다.

다 읽으셨다면 접어 놓고 다신 펼쳐보지 않으시기를 바랍니다.